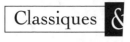
Classiques &

Collection
Jean-Paul Brighelli

Charles Perrault, Mme d'Aulnoy, Mme Leprince de Beaumont, Luzel, Les Mille et Une Nuits

Contes merveilleux

Présentation, notes, questions et après-texte établis par

ANNE LETEISSIER
professeur de Lettres au collège

MAGNARD

Sommaire

Après-texte

LES CONTES DE CE RECUEIL

Les contes de ce recueil sont des contes écrits, fixés dans une forme définitive. Tous ont un auteur, même si celui-ci est parfois un rapporteur. Ils révèlent une des problématiques du conte ; à l'origine, un conte est oral, destiné à être dit et modifié à chaque séance de contage. Sa forme change, comme une représentation théâtrale varie d'un soir à l'autre.

Le conte est une forme d'expression orale dont l'origine remonte à l'époque du « Il était une fois » qui l'introduit si souvent. Il s'est transmis, de génération en génération, par des conteurs. Les marques de l'oral demeurent dans la répétition de certaines expressions ou dans l'utilisation de la langue familière.

Le conte revendique son caractère fictif. C'est un mensonge qu'il ne faut pas croire. Très souvent, le conteur termine en disant à son public : « Tous les conteurs sont des menteurs ». Pourtant, en même temps, il souligne la véracité de son récit en se donnant comme témoin. Cette ambiguïté, entre vérité et mensonge, représente l'essence même du conte. Au-delà d'une histoire imaginaire, peuplée d'êtres surnaturels, se cachent un fond de vérité, un enseignement, une morale.

Les contes vont prendre une forme écrite avec certains auteurs du Moyen Âge ou de la Renaissance. Au XVIIe siècle, Charles Perrault (1628-1703) « s'amuse » à écrire quelques-uns des contes populaires les plus connus et à les publier dans des revues littéraires. Naît alors un engouement pour ces récits du temps passé, considérés jusqu'alors comme des histoires n'intéressant que les petits enfants. Cet engouement fera des émules. Des dames culti-vées s'essaieront à leur tour à cet exercice ; au XVIIIe siècle, sera publié *Le Cabinet des Fées*, recueil de contes écrits par différents auteurs, dont Mme d'Aulnoy (1650-1705) et Mme Leprince de Beaumont (1711-1780).

Les Mille et Une Nuits ont d'abord été traduites par Galland (1646-1717) au XVIIIe siècle, mais sa traduction s'éloigne parfois un peu du texte original. Le traducteur a sélectionné les contes, les épurant souvent de poèmes ou d'énumérations de noms propres qu'a conservés, au contraire, le second traducteur de ces contes, Mardrus (1848-1949), resté très proche du texte arabe. Dans les deux cas, se pose le problème de la transmission de ces contes d'origines populaire et orale. *Les Mille et Une Nuits* consti-tuent un recueil de contes réunis artificiellement par le person-nage de Shéhérazade, qui les raconte au sultan pour échapper à la mort. Les histoires sont habilement découpées pour donner envie au sultan d'entendre la suite et épargner Shéhérazade un jour de plus. À la fin du recueil, Shéhérazade a la vie sauve et épouse le sultan.

À la fin du XIXe siècle, apparaissent en France des collecteurs de contes qui, comme les frères Grimm en Allemagne, vont recueillir et fixer par écrit les contes de leur région. Luzel (1821-1895), en France, publiera en 1870 un volume intitulé *Contes bretons*.

Charles Perrault
Contes

La Belle au bois dormant

Il était une fois un Roi et une Reine, qui étaient si fâchés de n'avoir point d'enfants, si fâchés qu'on ne saurait dire. Ils allèrent à toutes les eaux[1] du monde ; vœux, pèlerinages, menues dévotions[2], tout fut mis en œuvre, et rien n'y faisait. Enfin
5 pourtant la Reine devint grosse[3], et accoucha d'une fille : on fit un beau Baptême ; on donna pour Marraines à la petite Princesse toutes les Fées qu'on pût trouver dans le Pays (il s'en trouva sept), afin que chacune d'elles lui faisant un don, comme c'était la coutume des Fées en ce temps-là, la Princesse
10 eût par ce moyen toutes les perfections imaginables. Après les cérémonies du Baptême toute la compagnie revint au Palais du Roi, où il y avait un grand festin pour les Fées. On mit devant chacune d'elles un couvert magnifique, avec un étui d'or massif, où il y avait une cuiller, une fourchette, et un couteau de fin
15 or, garni de diamants et de rubis. Mais comme chacun prenait sa place à table, on vit entrer une vieille Fée qu'on n'avait point priée parce qu'il y avait plus de cinquante ans qu'elle n'était sortie d'une Tour et qu'on la croyait morte, ou enchantée. Le Roi lui fit donner un couvert, mais il n'y eut pas moyen de lui don-
20 ner un étui d'or massif, comme aux autres, parce que l'on n'en avait fait faire que sept pour les sept Fées. La vieille crut qu'on la méprisait, et grommela quelques menaces entre ses dents.

---

1. Sources thermales où l'on peut faire une cure.
2. Devoirs religieux.
3. Fut enceinte.

Une des jeunes Fées qui se trouva auprès d'elle l'entendit, et jugeant qu'elle pourrait donner quelque fâcheux[1] don à la
25 petite Princesse, alla dès qu'on fut sorti de table se cacher derrière la tapisserie[2], afin de parler la dernière, et de pouvoir réparer autant qu'il lui serait possible le mal que la vieille aurait fait. Cependant les Fées commencèrent à faire leurs dons à la Princesse. La plus jeune lui donna pour don qu'elle serait la
30 plus belle personne du monde, celle d'après qu'elle aurait de l'esprit comme un Ange, la troisième qu'elle aurait une grâce admirable à tout ce qu'elle ferait, la quatrième qu'elle danserait parfaitement bien, la cinquième qu'elle chanterait comme un Rossignol, et la sixième qu'elle jouerait de toutes sortes d'ins-
35 truments dans la dernière perfection. Le rang de la vieille Fée étant venu, elle dit, en branlant[3] la tête encore plus de dépit[4] que de vieillesse, que la Princesse se percerait la main d'un fuseau[5], et qu'elle en mourrait. Ce terrible don fit frémir toute la compagnie, et il n'y eût personne qui ne pleurât. Dans ce
40 moment la jeune Fée sortit de derrière la tapisserie, et dit tout haut ces paroles : « Rassurez-vous, Roi et Reine, votre fille n'en mourra pas ; il est vrai que je n'ai pas assez de puissance pour défaire entièrement ce que mon ancienne a fait. La Princesse se percera la main d'un fuseau ; mais au lieu d'en mourir, elle tom-

---

1. Ennuyeux, malheureux.
2. Tenture d'ameublement accrochée aux murs.
3. Secouant.
4. Aigreur, colère, jalousie.
5. Objet de bois aux extrémités pointues et au centre renflé qui sert à enrouler le fil quand on file à la quenouille.

45 bera seulement dans un profond sommeil qui durera cent ans, au bout desquels le fils d'un Roi viendra la réveiller. » Le Roi, pour tâcher d'éviter le malheur annoncé par la vieille, fit publier aussitôt un Édit[1], par lequel il défendait à toutes personnes de filer au fuseau, ni d'avoir des fuseaux chez soi sur 50 peine de la vie. Au bout de quinze ou seize ans, le Roi et la Reine étant allés à une de leurs Maisons de plaisance[2], il arriva que la jeune Princesse courant un jour dans le Château, et montant de chambre en chambre, alla jusqu'au haut d'un donjon dans un petit galetas[3], où une bonne Vieille était seule à 55 filer sa quenouille[4]. Cette bonne femme n'avait point ouï[5] parler des défenses que le Roi avait faites de filer au fuseau. « Que faites-vous là, ma bonne femme ? dit la Princesse. – Je file, ma belle enfant, lui répondit la vieille qui ne la connaissait pas. – Ah ! que cela est joli, reprit la Princesse, comment faites-60 vous ? donnez-moi que je voie si j'en ferais bien autant. » Elle n'eut pas plus tôt pris le fuseau, que comme elle était fort vive, un peu étourdie, et que d'ailleurs l'Arrêt[6] des Fées l'ordonnait ainsi, elle s'en perça la main, et tomba évanouie. La bonne vieille, bien embarrassée, crie au secours : on vient de tous 65 côtés, on jette de l'eau au visage de la Princesse, on la délace, on lui frappe dans les mains, on lui frotte les temples[7] avec de l'eau

---

1. Loi.
2. Maisons de campagne.
3. Vieux logement installé sous les combles, mansarde.
4. Petite canne sur laquelle on met la laine à filer.
5. Entendu.
6. Décision.
7. Tempes. Cette forme du mot était conseillée par le grammairien Vaugelas.

de la Reine de Hongrie[1] ; mais rien ne la faisait revenir. Alors le Roi, qui était monté au bruit, se souvint de la prédiction des Fées, et jugeant bien qu'il fallait que cela arrivât, puisque les
70 Fées l'avaient dit, fit mettre la Princesse dans le plus bel appartement du Palais, sur un lit en broderie d'or et d'argent. On eût dit d'un Ange, tant elle était belle ; car son évanouissement n'avait pas ôté les couleurs vives de son teint : ses joues étaient incarnates[2], et ses lèvres comme du corail[3] ; elle avait seulement
75 les yeux fermés, mais on l'entendait respirer doucement, ce qui faisait voir qu'elle n'était pas morte. Le Roi ordonna qu'on la laissât dormir en repos, jusqu'à ce que son heure de se réveiller fût venue. La bonne Fée qui lui avait sauvé la vie, en la condamnant à dormir cent ans, était dans le Royaume de
80 Mataquin, à douze mille lieues[4] de là, lorsque l'accident arriva à la Princesse ; mais elle en fut avertie en un instant par un petit Nain, qui avait des bottes de sept lieues (c'était des bottes avec lesquelles on faisait sept lieues d'une seule enjambée). La Fée partit aussitôt, et on la vit au bout d'une heure arriver dans un
85 chariot tout de feu, traîné par des dragons. Le Roi lui alla présenter la main à la descente du chariot. Elle approuva tout ce qu'il avait fait ; mais comme elle était grandement prévoyante, elle pensa que quand la Princesse viendrait à se réveiller, elle serait bien embarrassée toute seule dans ce vieux Château : voici
90 ce qu'elle fit. Elle toucha de sa baguette tout ce qui était dans

---

1. Eau aux vertus curatives, très à la mode au XVIIe siècle.
2. Rose vif.
3. De couleur rouge.
4. Mesure de longueur équivalant à 4 kilomètres.

ce Château (hors le Roi et la Reine), Gouvernantes, Filles d'Honneur, Femmes de Chambre, Gentilshommes, Officiers, Maîtres d'Hôtel, Cuisiniers, Marmitons, Galopins, Gardes, Suisses, Pages, Valets de pied ; elle toucha aussi tous les chevaux
95 qui étaient dans les Écuries, avec les Palefreniers[1], les gros mâtins[2] de basse-cour[3], et la petite Pouffe, petite chienne de la Princesse, qui était auprès d'elle sur son lit. Dès qu'elle les eut touchés, ils s'endormirent tous, pour ne se réveiller qu'en même temps que leur Maîtresse, afin d'être tout prêts à la servir quand
100 elle en aurait besoin ; les broches mêmes qui étaient au feu toutes pleines de perdrix et de faisans s'endormirent, et le feu aussi. Tout cela se fit en un moment ; les Fées n'étaient pas longues à leur besogne. Alors le Roi et la Reine, après avoir baisé leur chère enfant sans qu'elle s'éveillât, sortirent du
105 Château, et firent publier des défenses à qui que ce soit d'en approcher. Ces défenses n'étaient pas nécessaires, car il crût[4] dans un quart d'heure tout autour du parc une si grande quantité de grands arbres et de petits, de ronces et d'épines entrelacées les unes dans les autres, que bête ni homme n'y aurait pu
110 passer : en sorte qu'on ne voyait plus que le haut des Tours du Château, encore n'était-ce que de bien loin. On ne douta point que la Fée n'eût encore fait là un tour de son métier, afin que la Princesse, pendant qu'elle dormirait, n'eût rien à craindre des Curieux.

---

1. Domestiques chargés de soigner les chevaux.
2. Gros chiens de garde.
3. Enclos destiné à l'élevage de la volaille, des lapins.
4. Grandit.

115   Au bout de cent ans, le Fils du Roi qui régnait alors, et qui était d'une autre famille que la Princesse endormie, étant allé à la chasse de ce côté-là, demanda ce que c'était que des Tours qu'il voyait au-dessus d'un grand bois fort épais; chacun lui répondit selon qu'il en avait ouï parler. Les uns disaient que
120 c'était un vieux Château où il revenait des Esprits; les autres que tous les Sorciers de la contrée y faisaient leur sabbat[1]. La plus commune opinion était qu'un Ogre y demeurait, et que là il emportait tous les enfants qu'il pouvait attraper, pour les pouvoir manger à son aise, et sans qu'on le pût suivre, ayant seul le
125 pouvoir de se faire un passage au travers du bois. Le Prince ne savait qu'en croire, lorsqu'un vieux Paysan prit la parole, et lui dit: « Mon Prince, il y a plus de cinquante ans que j'ai ouï dire à mon père qu'il y avait dans ce Château une Princesse, la plus belle du monde; qu'elle y devait dormir cent ans, et qu'elle
130 serait réveillée par le fils d'un Roi, à qui elle était réservée. » Le jeune Prince, à ce discours, se sentit tout de feu[2]; il crut sans balancer[3] qu'il mettrait fin à une si belle aventure; et poussé par l'amour et par la gloire, il résolut de voir sur-le-champ ce qui en était. À peine s'avança-t-il vers le bois, que tous ces grands
135 arbres, ces ronces et ces épines s'écartèrent d'elles-mêmes pour le laisser passer : il marche vers le Château qu'il voyait au bout d'une grande avenue où il entra, et ce qui le surprit un peu, il vit que personne de ses gens ne l'avait pu suivre, parce que les

---

1. Réunion de sorciers et de sorcières, très bruyante, ayant lieu la nuit.
2. Enthousiasmé.
3. Sans hésiter.

arbres s'étaient rapprochés dès qu'il avait été passé. Il ne laissa
140 pas de continuer son chemin : un Prince jeune et amoureux est
toujours vaillant. Il entra dans une grande avant-cour[1] où tout
ce qu'il vit d'abord était capable de le glacer de crainte : c'était
un silence affreux, l'image de la mort s'y présentait partout, et
ce n'était que des corps étendus d'hommes et d'animaux, qui
145 paraissaient morts. Il reconnut pourtant bien au nez bour-
geonné[2] et à la face vermeille[3] des Suisses[4], qu'ils n'étaient
qu'endormis, et leurs tasses où il y avait encore quelques gouttes
de vin montraient assez qu'ils s'étaient endormis en buvant. Il
passe une grande cour pavée de marbre, il monte l'escalier, il
150 entre dans la salle des Gardes qui étaient rangés en haie, la cara-
bine sur l'épaule, et ronflants de leur mieux. Il traverse plusieurs chambres pleines de Gentilshommes et de Dames, dor-
mants tous, les uns debout, les autres assis ; il entre dans une
chambre toute dorée, et il vit sur un lit, dont les rideaux étaient
155 ouverts de tous côtés, le plus beau spectacle qu'il eût jamais vu :
une Princesse qui paraissait avoir quinze ou seize ans, et dont
l'éclat resplendissant avait quelque chose de lumineux et de
divin. Il s'approcha en tremblant et en admirant, et se mit à
genoux auprès d'elle. Alors comme la fin de l'enchantement
160 était venue, la Princesse s'éveilla ; et le regardant avec des yeux
plus tendres qu'une première vue ne semblait le permettre :

---

1. Cour qui précède la cour d'honneur à l'entrée d'un château.
2. Couvert de boutons.
3. Rouge.
4. Gardes.

« Est-ce vous, mon Prince ? lui dit-elle, vous vous êtes bien fait attendre. » Le Prince charmé de ces paroles, et plus encore de la manière dont elles étaient dites, ne savait comment lui témoi-
165 gner sa joie et sa reconnaissance ; il l'assura qu'il l'aimait plus que lui-même. Ses discours furent mal rangés[1], ils en plurent davantage ; peu d'éloquence[2], beaucoup d'amour. Il était plus embarrassé qu'elle, et l'on ne doit pas s'en étonner ; elle avait eu le temps de songer à ce qu'elle aurait à lui dire, car il y a appa-
170 rence (l'Histoire n'en dit pourtant rien) que la bonne Fée, pendant un si long sommeil, lui avait procuré le plaisir des songes agréables. Enfin il y avait quatre heures qu'ils se parlaient, et ils ne s'étaient pas encore dit la moitié des choses qu'ils avaient à se dire.

175   Cependant tout le Palais s'était réveillé avec la Princesse ; chacun songeait à faire sa charge[3], et comme ils n'étaient pas tous amoureux, ils mouraient de faim ; la Dame d'honneur, pressée comme les autres, s'impatienta, et dit tout haut à la Princesse que la viande[4] était servie. Le Prince aida à la
180 Princesse à se lever ; elle était tout habillée et fort magnifique-ment ; mais il se garda bien de lui dire qu'elle était habillée comme ma mère-grand, et qu'elle avait un collet[5] monté ; elle n'en était pas moins belle. Ils passèrent dans un Salon de

---

1. Mal organisés.
2. Art de la parole, du discours.
3. Travail.
4. Nourriture, repas.
5. Éventail de lingerie et de dentelle qui restait ouvert derrière la tête grâce à une armature métal-lique et que portaient les dames sous Henri IV.

miroirs, et y soupèrent, servis par les Officiers de la Princesse ;
185 les Violons et les Hautbois jouèrent de vieilles pièces[1], mais
excellentes, quoiqu'il y eût près de cent ans qu'on ne les jouât
plus ; et après soupé, sans perdre de temps, le grand Aumônier[2]
les maria dans la Chapelle du Château, et la Dame d'honneur
leur tira le rideau : ils dormirent peu, la Princesse n'en avait pas
190 grand besoin, et le Prince la quitta dès le matin pour retourner
à la Ville, où son Père devait être en peine de lui. Le Prince lui
dit qu'en chassant il s'était perdu dans la forêt, et qu'il avait
couché dans la hutte d'un Charbonnier, qui lui avait fait manger du pain noir et du fromage. Le Roi son père, qui était bon
195 homme, le crut, mais sa Mère n'en fut pas bien persuadée, et
voyant qu'il allait presque tous les jours à la chasse, et qu'il avait
toujours une raison en main pour s'excuser, quand il avait couché deux ou trois nuits dehors, elle ne douta plus qu'il n'eût
quelque amourette : car il vécut avec la Princesse plus de deux
200 ans entiers, et en eut deux enfants, dont le premier, qui fut une
fille, fut nommée l'Aurore, et le second un fils, qu'on nomma
le Jour, parce qu'il paraissait encore plus beau que sa sœur. La
Reine dit plusieurs fois à son fils, pour le faire expliquer, qu'il
fallait se contenter dans la vie, mais il n'osa jamais se fier[3] à elle
205 de son secret ; il la craignait quoiqu'il l'aimât, car elle était de
race Ogresse, et le Roi ne l'avait épousée qu'à cause de ses

---

1. Morceaux de musique.
2. Prêtre.
3. Confier.

grands biens; on disait même tout bas à la Cour qu'elle avait les inclinations[1] des Ogres, et qu'en voyant passer de petits enfants, elle avait toutes les peines du monde à se retenir de se 210 jeter sur eux; ainsi le Prince ne voulut jamais rien dire. Mais quand le Roi fut mort, ce qui arriva au bout de deux ans, et qu'il se vit le maître, il déclara publiquement son Mariage, et alla en grande cérémonie querir[2] la Reine sa femme dans son Château. On lui fit une entrée magnifique dans la Ville 215 Capitale, où elle entra au milieu de ses deux enfants. Quelque temps après le Roi alla faire la guerre à l'Empereur Cantalabutte son voisin. Il laissa la Régence[3] du Royaume à la Reine sa mère, et lui recommanda fort sa femme et ses enfants: il devait être à la guerre tout l'Été, et dès qu'il fut parti, la Reine-Mère envoya 220 sa Bru[4] et ses enfants à une maison de campagne dans les bois, pour pouvoir plus aisément assouvir[5] son horrible envie. Elle y alla quelques jours après, et dit un soir à son Maître d'Hôtel: « Je veux manger demain à mon dîner la petite Aurore. – Ah! Madame, dit le Maître d'Hôtel. – Je le veux, dit la Reine (et 225 elle le dit d'un ton d'Ogresse qui a envie de manger de la chair fraîche), et je la veux manger à la Sauce-robert. » Ce pauvre homme voyant bien qu'il ne fallait pas se jouer à une Ogresse, prit son grand couteau, et monta à la chambre de la petite

---

1. Goûts.
2. Chercher.
3. Gouvernement tenu en l'absence du roi.
4. L'épouse de son fils.
5. Satisfaire.

Aurore : elle avait pour lors quatre ans, et vint en sautant et en
230 riant se jeter à son col[1], et lui demander du bonbon[2]. Il se mit à
pleurer, le couteau lui tomba des mains, et il alla dans la basse-
cour couper la gorge à un petit agneau, et lui fit une si bonne
sauce que sa Maîtresse l'assura qu'elle n'avait jamais rien mangé
de si bon. Il avait emporté en même temps la petite Aurore, et
235 l'avait donnée à sa femme pour la cacher dans le logement qu'elle
avait au fond de la basse-cour. Huit jours après la méchante
Reine dit à son Maître d'Hôtel : « Je veux manger à mon souper
le petit Jour. » Il ne répliqua pas, résolu de la tromper comme
l'autre fois ; il alla chercher le petit Jour, et le trouva avec un petit
240 fleuret[3] à la main, dont il faisait des armes avec un gros Singe ; il
n'avait pourtant que trois ans. Il le porta à sa femme qui le cacha
avec la petite Aurore, et donna à la place du petit Jour un petit
chevreau fort tendre, que l'Ogresse trouva admirablement bon.

Cela était fort bien allé jusque-là ; mais un soir cette méchante
245 Reine dit au Maître d'Hôtel : « Je veux manger la Reine à la
même sauce que ses enfants. » Ce fut alors que le pauvre Maître
d'Hôtel désespéra de la pouvoir encore tromper. La jeune Reine
avait vingt ans passés, sans compter les cent ans qu'elle avait
dormi : sa peau était un peu dure, quoique belle et blanche ; et le
250 moyen de trouver dans la Ménagerie[4] une bête aussi dure que

---

1. Cou.
2. Friandises. Le sucre est rare à l'époque.
3. Épée.
4. Lieu où l'on fait engraisser les bestiaux, mais que l'on ne trouve que dans les grandes maisons de campagne.

cela ? Il prit la résolution, pour sauver sa vie, de couper la gorge à la Reine, et monta dans sa chambre, dans l'intention de n'en pas faire à deux fois[1] ; il s'excitait à la fureur, et entra le poignard à la main dans la chambre de la jeune Reine. Il ne voulut pourtant point la surprendre, et il lui dit avec beaucoup de respect l'ordre qu'il avait reçu de la Reine-Mère. « Faites votre devoir, lui dit-elle, en lui tendant le col ; exécutez l'ordre qu'on vous a donné ; j'irai revoir mes enfants, mes pauvres enfants que j'ai tant aimés » ; car elle les croyait morts depuis qu'on les avait enlevés sans lui rien dire. « Non, non, Madame, lui répondit le pauvre Maître d'Hôtel tout attendri[2], vous ne mourrez point, et vous ne laisserez pas d'aller[3] revoir vos chers enfants, mais ce sera chez moi où je les ai cachés, et je tromperai encore la Reine, en lui faisant manger une jeune biche en votre place. » Il la mena aussitôt à sa chambre, où la laissant embrasser ses enfants et pleurer avec eux, il alla accommoder[4] une biche, que la Reine mangea à son soupé, avec le même appétit que si c'eût été la jeune Reine. Elle était bien contente de sa cruauté, et elle se préparait à dire au Roi, à son retour, que les loups enragés avaient mangé la Reine sa femme et ses deux enfants.

Un soir qu'elle rôdait à son ordinaire dans les cours et basses-cours du Château pour y halener[5] quelque viande fraîche, elle entendit dans une salle basse le petit Jour qui pleurait, parce

---

1. Ne pas hésiter.
2. Ému.
3. Vous irez.
4. Préparer.
5. Sentir le gibier.

que la Reine sa mère le voulait faire fouetter, à cause qu'il avait
275 été méchant, et elle entendit aussi la petite Aurore qui demandait pardon pour son frère. L'Ogresse reconnut la voix de la
Reine et de ses enfants, et furieuse d'avoir été trompée, elle com-
mande dès le lendemain au matin, avec une voix épouvantable
qui faisait trembler tout le monde, qu'on apportât au milieu de
280 la cour une grande cuve, qu'elle fit remplir de crapauds, de
vipères, de couleuvres et de serpents, pour y faire jeter la Reine
et ses enfants, le Maître d'Hôtel, sa femme et sa servante : elle
avait donné ordre de les amener les mains liées derrière le dos.
Ils étaient là, et les bourreaux se préparaient à les jeter dans la
285 cuve, lorsque le Roi, qu'on n'attendait pas si tôt, entra dans la
cour à cheval ; il était venu en poste[1], et demanda tout étonné
ce que voulait dire cet horrible spectacle ; personne n'osait l'en
instruire[2], quand l'Ogresse, enragée de voir ce qu'elle voyait, se
jeta elle-même la tête la première dans la cuve, et fut dévorée en
290 un instant par les vilaines bêtes qu'elle y avait fait mettre. Le Roi
ne laissa pas d'en être fâché : elle était sa mère ; mais il s'en
consola bientôt avec sa belle femme et ses enfants.

MORALITÉ

ATTENDRE *quelque temps pour avoir un Époux,*
295   *Riche, bien fait, galant et doux,*
        La chose est assez naturelle,

---

1. Avec des chevaux que l'on change à distance régulière.
2. Informer.

Mais l'attendre cent ans, et toujours en dormant,
 On ne trouve plus de femelle,
 Qui dormît si tranquillement.

300 La Fable semble encor vouloir nous faire entendre,
Que souvent de l'Hymen[1] les agréables nœuds,
Pour être différés[2], n'en sont pas moins heureux,
 Et qu'on ne perd rien pour attendre ;
 Mais le sexe[3] avec tant d'ardeur,
305 Aspire à la foi conjugale,
Que je n'ai pas la force ni le cœur,
 De lui prêcher cette morale.

---

1. Mariage.
2. Retardés.
3. Les femmes.

BIEN LIRE

• Quelles sont les différentes tentatives du roi et de la reine pour avoir un enfant ?

• Pourquoi la vieille fée n'a-t-elle pas été invitée ? Qu'est-ce qui va aggraver cette erreur ?

• Comment expliquez-vous que, malgré les interdits du roi, une femme file encore avec un fuseau ?

• Quelles sont les différentes étapes du trajet du prince, et en quoi montrent-elles qu'il est bien l'élu ?

• En quoi le portrait de la mère du prince est-il inquiétant (l. 204-209) ?

• Pourquoi, par trois fois, le maître d'hôtel ne parvient-il pas à obéir à l'ogresse ?

La Barbe bleue

Il était une fois un homme qui avait de belles maisons à la Ville et à la Campagne, de la vaisselle d'or et d'argent, des meubles en broderie[1], et des carrosses tout dorés ; mais par malheur cet homme avait la Barbe bleue : cela le rendait si laid et
5 si terrible, qu'il n'était ni femme ni fille qui ne s'enfuît de devant lui. Une de ses Voisines, Dame de qualité[2], avait deux filles parfaitement belles. Il lui en demanda une en Mariage, et lui laissa le choix de celle qu'elle voudrait lui donner. Elles n'en voulaient point toutes deux, et se le renvoyaient l'une à l'autre,
10 ne pouvant se résoudre à prendre un homme qui eût la barbe bleue. Ce qui les dégoûtait[3] encore, c'est qu'il avait déjà épousé plusieurs femmes, et qu'on ne savait ce que ces femmes étaient devenues. La Barbe bleue, pour faire connaissance, les mena avec leur Mère, et trois ou quatre de leurs meilleures amies, et
15 quelques jeunes gens du voisinage, à une de ses maisons de Campagne, où on demeura huit jours entiers. Ce n'était que promenades, que parties de chasse et de pêche, que danses et festins, que collations[4] : on ne dormait point, et on passait toute la nuit à se faire des malices les uns aux autres ; enfin tout alla si
20 bien, que la Cadette commença à trouver que le Maître du logis n'avait plus la barbe si bleue, et que c'était un fort honnête[5]

---

1. Meubles ayant la même garniture.
2. Dame noble.
3. Ôtait l'envie.
4. Repas que l'on fait au milieu de l'après-midi, mais qui est plus important qu'un goûter.
5. Poli.

homme. Dès qu'on fut de retour à la Ville, le Mariage se conclut. Au bout d'un mois la Barbe bleue dit à sa femme qu'il était obligé de faire un voyage en Province, de six semaines au moins, pour une affaire de conséquence[1] ; qu'il la priait de se bien divertir pendant son absence, qu'elle fît venir ses bonnes amies, qu'elle les menât à la Campagne si elle voulait, que partout elle fît bonne chère[2]. « Voilà, lui dit-il, les clefs des deux grands garde-meubles, voilà celles de la vaisselle d'or et d'argent qui ne sert pas tous les jours, voilà celles de mes coffres-forts, où est mon or et mon argent, celles des cassettes[3] où sont mes pierreries, et voilà le passe-partout de tous les appartements[4]. Pour cette petite clef-ci, c'est la clef du cabinet au bout de la grande galerie de l'appartement bas : ouvrez tout, allez partout, mais pour ce petit cabinet, je vous défends d'y entrer, et je vous le défends de telle sorte, que s'il vous arrive de l'ouvrir, il n'y a rien que vous ne deviez attendre de ma colère. » Elle promit d'observer exactement tout ce qui lui venait d'être ordonné ; et lui, après l'avoir embrassée, il monte dans son carrosse, et part pour son voyage. Les voisines et les bonnes amies n'attendirent pas qu'on les envoyât querir pour aller chez la jeune Mariée, tant elles avaient d'impatience de voir toutes les richesses de sa Maison, n'ayant osé y venir pendant que le Mari y était, à cause de sa Barbe bleue qui leur faisait peur. Les voilà aussitôt à parcourir les chambres, les cabinets, les garde-robes, toutes plus

---

1. Importante.
2. Elle mangeât de bonnes choses.
3. Petits coffres.
4. Parties d'une maison constituées de plusieurs pièces où l'on vit.

belles et plus riches les unes que les autres. Elles montèrent
ensuite aux garde-meubles, où elles ne pouvaient assez admirer
le nombre et la beauté des tapisseries, des lits, des sophas[1], des
cabinets[2], des guéridons[3], des tables et des miroirs, où l'on se
voyait depuis les pieds jusqu'à la tête, et dont les bordures, les
unes de glace, les autres d'argent et de vermeil[4] doré, étaient les
plus belles et les plus magnifiques qu'on eût jamais vues. Elles
ne cessaient d'exagérer et d'envier le bonheur de leur amie, qui
cependant ne se divertissait point à voir toutes ces richesses, à
cause de l'impatience qu'elle avait d'aller ouvrir le cabinet de
l'appartement bas. Elle fut si pressée de[5] sa curiosité, que sans
considérer qu'il était malhonnête[6] de quitter sa compagnie, elle
y descendit par un petit escalier dérobé[7], et avec tant de précipitation, qu'elle pensa se rompre le cou deux ou trois fois. Étant
arrivée à la porte du cabinet, elle s'y arrêta quelque temps, songeant à la défense que son Mari lui avait faite, et considérant
qu'il pourrait lui arriver malheur d'avoir été désobéissante ;
mais la tentation était si forte qu'elle ne put la surmonter : elle
prit donc la petite clef, et ouvrit en tremblant la porte du cabinet. D'abord elle ne vit rien, parce que les fenêtres étaient fer-
mées ; après quelques moments elle commença à voir que le
plancher était tout couvert de sang caillé, et que dans ce sang se

---

1. Divans.
2. Meubles de bois, souvent précieux, avec de nombreux tiroirs.
3. Tables rondes à un seul pied central.
4. Argent doré.
5. Poussée par.
6. Impoli.
7. Caché.

miraient les corps de plusieurs femmes mortes et attachées le long des murs (c'était toutes les femmes que la Barbe bleue avait épousées et qu'il avait égorgées l'une après l'autre). Elle pensa mourir de peur, et la clef du cabinet qu'elle venait de retirer de la serrure lui tomba de la main. Après avoir un peu repris ses esprits, elle ramassa la clef, referma la porte, et monta à sa chambre pour se remettre un peu ; mais elle n'en pouvait venir à bout, tant elle était émue. Ayant remarqué que la clef du cabinet était tachée de sang, elle l'essuya deux ou trois fois, mais le sang ne s'en allait point ; elle eut beau la laver, et même la frotter avec du sablon[1] et avec du grais[2], il y demeura toujours du sang, car la clef était Fée, et il n'y avait pas moyen de la nettoyer tout à fait : quand on ôtait le sang d'un côté, il revenait de l'autre. La Barbe bleue revint de son voyage dès le soir même, et dit qu'il avait reçu des Lettres dans le chemin, qui lui avaient appris que l'affaire pour laquelle il était parti venait d'être terminée à son avantage. Sa femme fit tout ce qu'elle put pour lui témoigner qu'elle était ravie de son prompt[3] retour. Le lendemain il lui redemanda les clefs, et elle les lui donna, mais d'une main si tremblante, qu'il devina sans peine tout ce qui s'était passé. « D'où vient, lui dit-il, que la clef du cabinet n'est point avec les autres ? – Il faut, dit-elle, que je l'aie laissée là-haut sur ma table. – Ne manquez pas, dit la Barbe bleue, de me la donner tantôt[4]. » Après plusieurs remises[5], il fallut apporter la clef.

---

1. Sable fin, très blanc, qui servait à nettoyer la vaisselle et les cuivres.
2. Grès.
3. Rapide.
4. Bientôt.
5. Reports.

La Barbe bleue, l'ayant considérée, dit à sa femme : « Pourquoi
y a-t-il du sang sur cette clef ? – Je n'en sais rien, répondit la
pauvre femme, plus pâle que la mort. – Vous n'en savez rien,
95 reprit la Barbe bleue, je le sais bien, moi ; vous avez voulu entrer
dans le cabinet ! Hé bien, Madame, vous y entrerez, et irez
prendre votre place auprès des Dames que vous y avez vues. »
Elle se jeta aux pieds de son Mari, en pleurant et en lui demand-
ant pardon, avec toutes les marques d'un vrai repentir[1] de
100 n'avoir pas été obéissante. Elle aurait attendri un rocher, belle
et affligée[2] comme elle était ; mais la Barbe bleue avait le cœur
plus dur qu'un rocher. « Il faut mourir, Madame, lui dit-il, et
tout à l'heure. – Puisqu'il faut mourir, répondit-elle, en le regardant les yeux baignés de larmes, donnez-moi un peu de temps
105 pour prier Dieu. – Je vous donne un demi-quart d'heure, reprit
la Barbe bleue, mais pas un moment davantage. » Lorsqu'elle
fut seule, elle appela sa sœur, et lui dit : « Ma sœur Anne (car
elle s'appelait ainsi), monte, je te prie, sur le haut de la Tour,
pour voir si mes frères ne viennent point ; ils m'ont promis
110 qu'ils me viendraient voir aujourd'hui, et si tu les vois, fais-leur
signe de se hâter. » La sœur Anne monta sur le haut de la Tour,
et la pauvre affligée lui criait de temps en temps : *« Anne, ma
sœur Anne, ne vois-tu rien venir ? »* Et la sœur Anne lui répondait : *« Je ne vois rien que le Soleil qui poudroie[3], et l'herbe qui
115 verdoie. »* Cependant la Barbe bleue, tenant un grand coutelas[4]

---

1. Regret.
2. Triste.
3. Fait apparaître la poussière.
4. Couteau.

à sa main, criait de toute sa force à sa femme : « Descends vite,
ou je monterai là-haut. – Encore un moment, s'il vous plaît »,
lui répondait sa femme ; et aussitôt elle criait tout bas : *« Anne,
ma sœur Anne, ne vois-tu rien venir ? »* Et la sœur Anne répon-
120 dait : *« Je ne vois rien que le Soleil qui poudroie, et l'herbe qui verdoie. »* « Descends donc vite, criait la Barbe bleue, ou je monterai là-haut. – Je m'en vais » répondait sa femme, et puis elle
criait : *« Anne, ma sœur Anne, ne vois-tu rien venir ?* – Je vois,
répondit la sœur Anne, une grosse poussière qui vient de ce
125 côté-ci. – Sont-ce mes frères ? – Hélas ! non, ma sœur, c'est un
Troupeau de Moutons. – Ne veux-tu pas descendre ? criait la
Barbe bleue. – Encore un moment », répondait sa femme ; et
puis elle criait : *« Anne, ma sœur Anne, ne vois-tu rien venir ?*
– Je vois, répondit-elle, deux Cavaliers[1] qui viennent de ce
130 côté-ci, mais ils sont bien loin encore... Dieu soit loué, s'écria-
t-elle un moment après, ce sont mes frères ; je leur fais signe
tant que je puis de se hâter. » La Barbe bleue se mit à crier si fort
que toute la maison en trembla. La pauvre femme descendit, et
alla se jeter à ses pieds toute éplorée[2] et toute échevelée. « Cela
135 ne sert de rien, dit la Barbe bleue, il faut mourir. » Puis la prenant d'une main par les cheveux, et de l'autre levant le coutelas
en l'air, il allait lui abattre la tête. La pauvre femme se tournant
vers lui, et le regardant avec des yeux mourants, le pria de lui
donner un petit moment pour se recueillir. « Non, non, dit-il,
140 recommande-toi bien à Dieu » ; et levant son bras... Dans ce

---

1. Gentilshommes qui portent l'épée. Ce mot remplace « chevaliers », vieilli.
2. Éplorée, en pleurs.

moment on heurta si fort à la porte, que la Barbe bleue s'arrêta tout court : on ouvrit, et aussitôt on vit entrer deux Cavaliers, qui mettant l'épée à la main, coururent droit à la Barbe bleue. Il reconnut que c'était les frères de sa femme, l'un Dragon[1] et 145 l'autre Mousquetaire[2], de sorte qu'il s'enfuit aussitôt pour se sauver ; mais les deux frères le poursuivirent de si près, qu'ils l'attrapèrent avant qu'il pût gagner le perron. Ils lui passèrent leur épée au travers du corps, et le laissèrent mort. La pauvre femme était presque aussi morte que son Mari, et n'avait pas la 150 force de se lever pour embrasser ses Frères. Il se trouva que la Barbe bleue n'avait point d'héritiers, et qu'ainsi sa femme demeura maîtresse de tous ses biens. Elle en employa une partie à marier sa sœur Anne avec un jeune Gentilhomme, dont elle était aimée depuis longtemps ; une autre partie à acheter 155 des Charges de Capitaine à ses deux frères ; et le reste à se marier elle-même à un fort honnête homme, qui lui fit oublier le mauvais temps qu'elle avait passé avec la Barbe bleue.

MORALITÉ

LA curiosité malgré tous ses attraits,
160   *Coûte souvent bien des regrets ;*
On en voit tous les jours mille exemples paraître.
C'est, n'en déplaise au sexe, un plaisir bien léger ;
   Dès qu'on le prend il cesse d'être,
   Et toujours il coûte trop cher.

1. Soldat.
2. Soldat.

AUTRE MORALITÉ

165

POUR peu qu'on ait l'esprit sensé,
 Et que du Monde on sache le grimoire[1]*,*
 On voit bientôt que cette histoire
 Est un conte du temps passé;
170 *Il n'est plus d'Époux si terrible,*
 Ni qui demande l'impossible,
 Fût-il malcontent et jaloux.
 Près de sa femme on le voit filer doux;
Et de quelque couleur que sa barbe puisse être,
175 On a peine à juger qui des deux est le maître.

---

1. Mot ou habitude que les non-initiés ne peuvent comprendre.

BIEN LIRE

• Que signifie l'expression : « commença à trouver que le Maître du logis n'avait plus la barbe si bleue » (l. 20-21) ?

• Que signifie l'expression : « mais elle n'en pouvait venir à bout, tant elle était émue » (l. 74-75) ?

• Que repésente « l'impossible » de la deuxième moralité (l. 171) ?

Le Chat botté

Un Meunier ne laissa pour tous biens à trois enfants qu'il avait, que son Moulin, son Âne, et son Chat. Les partages furent bientôt faits, ni le Notaire, ni le Procureur[1] n'y furent point appelés. Ils auraient eu bientôt mangé tout le pauvre patrimoine[2]. L'aîné eut le Moulin, le second eut l'Âne, et le plus jeune n'eut que le Chat. Ce dernier ne pouvait se consoler d'avoir un si pauvre lot : « Mes frères, disait-il, pourront gagner leur vie honnêtement en se mettant ensemble ; pour moi, lorsque j'aurai mangé mon chat, et que je me serai fait un manchon[3] de sa peau, il faudra que je meure de faim. » Le Chat qui entendait[4] ce discours, mais qui n'en fit pas semblant, lui dit d'un air posé et sérieux : « Ne vous affligez point, mon maître, vous n'avez qu'à me donner un Sac, et me faire faire une paire de Bottes pour aller dans les broussailles, et vous verrez que vous n'êtes pas si mal partagé que vous croyez. » Quoique le Maître du chat ne fît pas grand fond[5] là-dessus, il lui avait vu faire tant de tours de souplesse, pour prendre des Rats et des Souris, comme quand il se pendait par les pieds, ou qu'il se cachait dans la farine pour faire le mort, qu'il ne désespéra pas d'en être secouru dans sa misère. Lorsque le chat eut ce qu'il

1. Personne qui représente en justice les intérêts d'un particulier.
2. Héritage.
3. Pièce d'habillement, le plus souvent en fourrure, dans laquelle on met les mains pour les protéger du froid.
4. Comprenait.
5. Ne se fît pas beaucoup d'illusions.

avait demandé, il se botta bravement[1], et mettant son sac à son
cou, il en prit les cordons avec ses deux pattes de devant, et s'en
alla dans une garenne[2] où il y avait grand nombre de lapins. Il
mit du son[3] et des lasserons[4] dans son sac, et s'étendant comme
25 s'il eût été mort, il attendit que quelque jeune lapin, peu ins-
truit encore des ruses de ce monde, vînt se fourrer dans son sac
pour manger ce qu'il y avait mis. À peine fut-il couché, qu'il eut
contentement ; un jeune étourdi de lapin entra dans son sac, et
le maître chat tirant aussitôt les cordons le prit et le tua sans
30 miséricorde. Tout glorieux[5] de sa proie, il s'en alla chez le Roi
et demanda à lui parler. On le fit monter à l'Appartement de sa
Majesté, où étant entré il fit une grande révérence au Roi, et lui
dit : « Voilà, Sire, un Lapin de Garenne que Monsieur le
Marquis de Carabas (c'était le nom qu'il lui prit en gré de don-
35 ner à son Maître), m'a chargé de vous présenter de sa part.
— Dis à ton Maître, répondit le Roi, que je le remercie, et qu'il
me fait plaisir. » Une autre fois, il alla se cacher dans un blé,
tenant toujours son sac ouvert ; et lorsque deux Perdrix y furent
entrées, il tira les cordons, et les prit toutes deux. Il alla ensuite
40 les présenter au Roi, comme il avait fait le Lapin de garenne. Le
Roi reçut encore avec plaisir les deux Perdrix, et lui fit donner
pour boire. Le chat continua ainsi pendant deux ou trois mois
à porter de temps en temps au Roi du Gibier de la chasse de

1. Au XVIIe siècle, cet adverbe signifie « élégamment ».
2. Réserve de gibier appartenant au seigneur.
3. Reste des grains des céréales après leur mouture.
4. Laitues sauvages qui servent à nourrir les lapins.
5. Fier.

son Maître. Un jour qu'il sut que le Roi devait aller à la promenade sur le bord de la rivière avec sa fille, la plus belle
Princesse du monde, il dit à son Maître : « Si vous voulez suivre
mon conseil, votre fortune est faite : vous n'avez qu'à vous bai-
gner dans la rivière à l'endroit que je vous montrerai, et ensuite
me laisser faire. » Le Marquis de Carabas fit ce que son chat lui
conseillait, sans savoir à quoi cela serait bon. Dans le temps[1]
qu'il se baignait, le Roi vint à passer, et le Chat se mit à crier de
toute sa force : « Au secours, au secours, voilà Monsieur le
Marquis de Carabas qui se noie ! » À ce cri le Roi mit la tête à
la portière, et reconnaissant le Chat qui lui avait apporté tant
de fois du Gibier, il ordonna à ses Gardes qu'on allât vite au
secours de Monsieur le Marquis de Carabas. Pendant qu'on
retirait le pauvre Marquis de la rivière, le Chat s'approcha du
Carrosse, et dit au Roi que dans le temps que son Maître se baignait, il était venu des Voleurs qui avaient emporté ses habits,
quoiqu'il eût crié au voleur de toute sa force ; le drôle[2] les avait
cachés sous une grosse pierre. Le Roi ordonna aussitôt aux
Officiers[3] de sa Garde-robe d'aller querir un de ses plus beaux
habits pour Monsieur le Marquis de Carabas. Le Roi lui fit
mille caresses[4], et comme les beaux habits qu'on venait de lui
donner relevaient[5] sa bonne mine (car il était beau, et bien fait
de sa personne), la fille du Roi le trouva fort à son gré, et le

1. Pendant.
2. Coquin.
3. Personnes qui ont une charge auprès du roi.
4. Marques de bienveillance, d'amitié.
5. Mettaient en valeur.

Comte de Carabas ne lui eut pas jeté deux ou trois regards fort respectueux, et un peu tendres, qu'elle en devint amoureuse à la folie. Le Roi voulut qu'il montât dans son Carrosse, et qu'il

70 fût de la promenade. Le Chat ravi de voir que son dessein[1] commençait à réussir, prit les devants, et ayant rencontré des Paysans qui fauchaient un Pré, il leur dit : « *Bonnes gens qui fauchez, si vous ne dites au Roi que le pré que vous fauchez appartient à Monsieur le Marquis de Carabas, vous serez tous hachés menu*

75 *comme chair à pâté.* » Le Roi ne manqua pas à demander aux Faucheux[2] à qui était ce Pré qu'ils fauchaient. « C'est à Monsieur le Marquis de Carabas », dirent-ils tous ensemble, car la menace du Chat leur avait fait peur. « Vous avez là un bel héritage[3], dit le Roi au Marquis de Carabas. – Vous voyez,

80 Sire, répondit le Marquis, c'est un pré qui ne manque point de rapporter abondamment toutes les années. » Le maître chat, qui allait toujours devant, rencontra des Moissonneurs, et leur dit : « *Bonnes gens qui moissonnez, si vous ne dites que tous ces blés appartiennent à Monsieur le Marquis de Carabas, vous serez tous*

85 *hachés menu comme chair à pâté.* » Le Roi, qui passa un moment après, voulut savoir à qui appartenaient tous les blés qu'il voyait. « C'est à Monsieur le Marquis de Carabas », répondirent les Moissonneurs, et le Roi s'en réjouit encore avec le Marquis. Le Chat, qui allait devant le Carrosse, disait toujours la même

90 chose à tous ceux qu'il rencontrait ; et le Roi était étonné des

---

1. Projet.
2. Faucheurs.
3. Ensemble des terres appartenant à une même personne.

grands biens de Monsieur le Marquis de Carabas. Le maître
Chat arriva enfin dans un beau Château dont le Maître était un
Ogre, le plus riche qu'on ait jamais vu, car toutes les terres par
où le Roi avait passé étaient de la dépendance[1] de ce Château.
95 Le Chat, qui eut soin de s'informer qui était cet Ogre, et ce
qu'il savait faire, demanda à lui parler, disant qu'il n'avait pas
voulu passer si près de son Château, sans avoir l'honneur de lui
faire la révérence. L'Ogre le reçut aussi civilement[2] que le peut
un Ogre, et le fit reposer. « On m'a assuré, dit le Chat, que vous
100 aviez le don de vous changer en toute sorte d'Animaux, que
vous pouviez par exemple vous transformer en Lion, en Éléphant ? – Cela est vrai, répondit l'Ogre brusquement, et pour
vous le montrer, vous m'allez voir devenir Lion. » Le Chat fut
si effrayé de voir un Lion devant lui, qu'il gagna aussitôt les
105 gouttières, non sans peine et sans péril, à cause de ses bottes qui
ne valaient rien pour marcher sur les tuiles. Quelques temps
après, le Chat, ayant vu que l'Ogre avait quitté sa première
forme, descendit, et avoua qu'il avait eu bien peur. « On m'a
assuré encore, dit le Chat, mais je ne saurais le croire, que vous
110 aviez aussi le pouvoir de prendre la forme des plus petits
Animaux, par exemple, de vous changer en un Rat, en une souris ; je vous avoue que je tiens cela tout à fait impossible.
– Impossible ? reprit l'Ogre, vous allez voir », et en même
temps il se changea en une Souris, qui se mit à courir sur le

---

1. Terre qui fait partie du château.
2. Poliment.

115 plancher. Le Chat ne l'eut pas plus tôt aperçue qu'il se jeta dessus, et la mangea. Cependant le Roi, qui vit en passant le beau Château de l'Ogre, voulut entrer dedans. Le Chat, qui entendit le bruit du Carrosse qui passait sur le pont-levis[1], courut au-devant, et dit au Roi : « Votre Majesté soit la bienvenue dans le
120 Château de Monsieur le Marquis de Carabas. – Comment, Monsieur le Marquis, s'écria le Roi, ce Château est encore à vous ! il ne se peut rien de plus beau que cette cour et que tous ces Bâtiments qui l'environnent ; voyons les dedans, s'il vous plaît. » Le Marquis donna la main à la jeune Princesse, et sui-
125 vant le Roi qui montait le premier, ils entrèrent dans une grande Salle où ils trouvèrent une magnifique collation que l'Ogre avait fait préparer pour ses amis qui le devaient venir voir ce même jour-là, mais qui n'avaient pas osé entrer, sachant que le Roi y était. Le Roi charmé des bonnes qualités de Monsieur le
130 Marquis de Carabas, de même que sa fille qui en était folle, et voyant les grands biens qu'il possédait, lui dit, après avoir bu cinq ou six coups : « Il ne tiendra qu'à vous, Monsieur le Marquis, que vous ne soyez mon gendre. » Le Marquis, faisant de grandes révérences, accepta l'honneur que lui faisait le Roi ;
135 et dès le même jour épousa la Princesse. Le Chat devint grand Seigneur, et ne courut plus après les souris, que pour se divertir.

---

1. Pont qui ferme l'entrée d'un château quand on le remonte et sert de porte.

MORALITÉ

QUELQUE grand que soit l'avantage
De jouir d'un riche héritage
140 Venant à nous de père en fils,
Aux jeunes gens pour l'ordinaire,
L'industrie[1] et le savoir-faire
Valent mieux que des biens acquis[2].

AUTRE MORALITÉ

145 SI le fils d'un Meunier, avec tant de vitesse,
Gagne le cœur d'une Princesse,
Et s'en fait regarder avec des yeux mourants,
C'est que l'habit, la mine et la jeunesse,
Pour inspirer de la tendresse,
150 N'en sont pas des moyens toujours indifférents.

1. Habileté.
2. Héritages obtenus
sans effort.

BIEN LIRE

• Au début du conte, comment le chat prend-il
un aspect vraiment humain ?
• Sur quel trait de caractère de l'ogre joue
le chat pour le vaincre ?
• Qu'est-ce qui décide le roi à marier sa fille
au marquis ?
• Quel est le sens de la première moralité
(l. 138-143) ?
• Quel proverbe dit le contraire de la seconde
moralité (l. 145-150) ?

Riquet à la houppe

Il était une fois une Reine qui accoucha d'un fils, si laid et si mal fait, qu'on douta longtemps s'il avait forme humaine. Une Fée qui se trouva à sa naissance assura qu'il ne laisserait pas d'être aimable, parce qu'il aurait beaucoup d'esprit ; elle ajouta

5 même qu'il pourrait, en vertu du don qu'elle venait de lui faire, donner autant d'esprit qu'il en aurait à la personne qu'il aimerait le mieux. Tout cela consola un peu la pauvre Reine, qui était bien affligée d'avoir mis au monde un si vilain marmot[1]. Il est vrai que cet enfant ne commença pas plus tôt à parler qu'il

10 dit mille jolies choses, et qu'il avait dans toutes ses actions je ne sais quoi de si spirituel, qu'on en était charmé. J'oubliais de dire qu'il vint au monde avec une petite houppe de cheveux sur la tête, ce qui fit qu'on le nomma Riquet à la houppe, car Riquet était le nom de la famille.

15 Au bout de sept ou huit ans la Reine d'un Royaume voisin accoucha de deux filles. La première qui vint au monde était plus belle que le jour : la Reine en fut si aise, qu'on appréhenda[2] que la trop grande joie qu'elle en avait ne lui fît mal. La même Fée qui avait assisté à la naissance du petit Riquet à la houppe

20 était présente, et pour modérer la joie de la Reine, elle lui déclara que cette petite Princesse n'aurait point d'esprit, et qu'elle serait aussi stupide qu'elle était belle. Cela mortifia[3]

---

1. Enfant.
2. Craignit.
3. Attrista.

beaucoup la Reine ; mais elle eut quelques moments après un bien plus grand chagrin, car la seconde fille dont elle accoucha
25 se trouva extrêmement laide. « Ne vous affligez point tant, Madame, lui dit la Fée ; votre fille sera récompensée[1] d'ailleurs, et elle aura tant d'esprit, qu'on ne s'apercevra presque pas qu'il lui manque de la beauté. – Dieu le veuille, répondit la Reine ; mais n'y aurait-il point moyen de faire avoir un peu d'esprit à
30 l'aînée qui est si belle ? – Je ne puis rien pour elle, Madame, du côté de l'esprit, lui dit la Fée, mais je puis tout du côté de la beauté ; et comme il n'y a rien que je ne veuille faire pour votre satisfaction, je vais lui donner pour don de pouvoir rendre beau ou belle la personne qui lui plaira. » À mesure que ces deux
35 Princesses devinrent grandes, leurs perfections crûrent[2] aussi avec elles, et on ne parlait partout que de la beauté de l'aînée, et de l'esprit de la cadette. Il est vrai aussi que leurs défauts augmentèrent beaucoup avec l'âge. La cadette enlaidissait à vue d'œil, et l'aînée devenait plus stupide de jour en jour. Ou elle
40 ne répondait rien à ce qu'on lui demandait, ou elle disait une sottise. Elle était avec cela si maladroite qu'elle n'eût pu ranger quatre Porcelaines[3] sur le bord d'une cheminée sans en casser une, ni boire un verre d'eau sans en répandre la moitié sur ses habits. Quoique la beauté soit un grand avantage dans une
45 jeune personne, cependant la cadette l'emportait presque toujours sur son aînée dans toutes les Compagnies. D'abord on

---

1. Dédommagée.
2. Grandirent.
3. Objets coûteux et fragiles que l'on ne savait pas fabriquer et qu'il fallait importer de Chine.

allait du côté de la plus belle pour la voir et pour l'admirer, mais
bientôt après, on allait à celle qui avait le plus d'esprit, pour lui
entendre dire mille choses agréables ; et on était étonné qu'en
50 moins d'un quart d'heure l'aînée n'avait plus personne auprès
d'elle, et que tout le monde s'était rangé autour de la cadette.
L'aînée, quoique fort stupide, le remarqua bien, et elle eût
donné sans regret toute sa beauté pour avoir la moitié de l'esprit de sa sœur. La Reine, toute sage[1] qu'elle était, ne put s'em-
55 pêcher de lui reprocher plusieurs fois sa bêtise, ce qui pensa[2]
faire mourir de douleur cette pauvre Princesse. Un jour qu'elle
s'était retirée dans un bois pour y plaindre[3] son malheur, elle vit
venir à elle un petit homme fort laid et fort désagréable, mais
vêtu très magnifiquement. C'était le jeune Prince Riquet à la
60 houppe, qui étant devenu amoureux d'elle sur ses Portraits qui
couraient par tout le monde, avait quitté le Royaume de son
père pour avoir le plaisir de la voir et de lui parler. Ravi de la
rencontrer ainsi toute seule, il l'aborde avec tout le respect et
toute la politesse imaginable. Ayant remarqué, après lui avoir
65 fait les compliments ordinaires, qu'elle était fort mélancolique[4],
il lui dit : « Je ne comprends point, Madame, comment une
personne aussi belle que vous l'êtes peut être aussi triste que
vous le paraissez ; car, quoique je puisse me vanter d'avoir vu
une infinité de belles personnes, je puis dire que je n'en ai
70 jamais vu dont la beauté approche de la vôtre. – Cela vous

---

1. Raisonnable.
2. Faillit.
3. Lamenter.
4. Triste.

plaît à dire, Monsieur », lui répondit la Princesse, et en demeure là. « La beauté, reprit Riquet à la houppe, est un si grand avantage qu'il doit tenir lieu de tout le reste ; et quand on le possède, je ne vois pas qu'il y ait rien qui puisse nous affliger beaucoup.

75 — J'aimerais mieux, dit la Princesse, être aussi laide que vous et avoir de l'esprit, que d'avoir de la beauté comme j'en ai, et être bête autant que je le suis. — Il n'y a rien, Madame, qui marque davantage qu'on a de l'esprit, que de croire n'en pas avoir, et il est de la nature de ce bien-là, que plus on en a, plus on croit en

80 manquer. — Je ne sais pas cela, dit la Princesse, mais je sais bien que je suis fort bête, et c'est de là que vient le chagrin qui me tue. — Si ce n'est que cela, Madame, qui vous afflige, je puis aisément mettre fin à votre douleur. — Et comment ferez-vous ? dit la Princesse. — J'ai le pouvoir, Madame, dit Riquet à la

85 houppe, de donner de l'esprit autant qu'on en saurait avoir à la personne que je dois aimer le plus, et comme vous êtes, Madame, cette personne, il ne tiendra qu'à vous que vous n'ayez autant d'esprit qu'on en peut avoir, pourvu que vous vouliez bien m'épouser. » La Princesse demeura toute interdite[1],

90 et ne répondit rien. « Je vois, reprit Riquet à la houppe, que cette proposition vous fait de la peine, et je ne m'en étonne pas ; mais je vous donne un an tout entier pour vous y résoudre[2]. » La Princesse avait si peu d'esprit, et en même temps une si grande envie d'en avoir, qu'elle s'imagina que la fin de cette

---

1. Surprise.
2. Décider.

95 année ne viendrait jamais ; de sorte qu'elle accepta la proposition qui lui était faite. Elle n'eut pas plus tôt promis à Riquet à
la houppe qu'elle l'épouserait dans un an à pareil jour, qu'elle se
sentit tout autre qu'elle n'était auparavant ; elle se trouva une
facilité incroyable à dire tout ce qui lui plaisait, et à le dire d'une
100 manière fine, aisée et naturelle. Elle commença dès ce moment
une conversation galante[1] et soutenue avec Riquet à la houppe,
où elle brilla d'une telle force que Riquet à la houppe crut lui
avoir donné plus d'esprit qu'il ne s'en était réservé pour lui-
même. Quand elle fut retournée au Palais, toute la Cour ne
105 savait que penser d'un changement si subit et si extraordinaire,
car autant qu'on lui avait ouï dire d'impertinences[2] auparavant,
autant lui entendait-on dire des choses bien sensées et infini-
ment spirituelles. Toute la Cour en eut une joie qui ne se peut
imaginer ; il n'y eut que sa cadette qui n'en fut pas bien aise,
110 parce que n'ayant plus sur son aînée l'avantage de l'esprit, elle
ne paraissait plus auprès d'elle qu'une Guenon fort désagréable.
Le Roi se conduisait par[3] ses avis, et allait même quelquefois
tenir le Conseil dans son Appartement. Le bruit de ce changement s'étant répandu, tous les jeunes Princes des Royaumes
115 voisins firent leurs efforts pour s'en faire aimer, et presque tous
la demandèrent en Mariage ; mais elle n'en trouvait point qui
eût assez d'esprit, et elle les écoutait tous sans s'engager à pas un
d'eux. Cependant il en vint un si puissant, si riche, si spirituel

---

1. Élégante.
2. Sottises.
3. Suivait.

et si bien fait, qu'elle ne put s'empêcher d'avoir de la bonne
volonté[1] pour lui. Son père s'en étant aperçu lui dit qu'il la faisait la maîtresse sur le choix d'un Époux, et qu'elle n'avait qu'à
se déclarer. Comme plus on a d'esprit et plus on a de peine à
prendre une ferme résolution[2] sur cette affaire, elle demanda,
après avoir remercié son père, qu'il lui donnât du temps pour y
penser. Elle alla par hasard se promener dans le même bois où
elle avait trouvé Riquet à la houppe, pour rêver[3] plus commo-
dément à ce qu'elle avait à faire. Dans le temps qu'elle se promenait, rêvant profondément, elle entendit un bruit sourd sous
ses pieds, comme de plusieurs personnes qui vont et viennent
et qui agissent. Ayant prêté l'oreille plus attentivement, elle ouït
que l'un disait : « Apporte-moi cette marmite » ; l'autre :
« Donne-moi cette chaudière » ; l'autre : « Mets du bois dans ce
feu. » La terre s'ouvrit dans le même temps, et elle vit sous ses
pieds comme une grande Cuisine pleine de Cuisiniers, de
Marmitons et de toutes sortes d'Officiers nécessaires pour faire
un festin magnifique. Il en sortit une bande de vingt ou trente
Rôtisseurs, qui allèrent se camper dans une allée du bois autour
d'une table fort longue, et qui tous, la lardoire[4] à la main, et la
queue de Renard[5] sur l'oreille, se mirent à travailler en cadence
au son d'une Chanson harmonieuse. La Princesse, étonnée de
ce spectacle, leur demanda pour qui ils travaillaient. « C'est,

---

1. Disposition.
2. Décision.
3. Réfléchir.
4. Brochette pointue qui sert à piquer la viande et à y mettre des lardons.
5. Partie pendante des toques des cuisiniers des grandes maisons.

Madame, lui répondit le plus apparent[1] de la bande, pour le
Prince Riquet à la houppe, dont les noces se feront demain. »
La Princesse encore plus surprise qu'elle ne l'avait été, et se res-
souvenant tout à coup qu'il y avait un an qu'à pareil jour elle
avait promis d'épouser le Prince Riquet à la houppe, elle pensa
tomber de son haut[2]. Ce qui faisait qu'elle ne s'en souvenait
pas, c'est que, quand elle fit cette promesse, elle était une bête,
et qu'en prenant le nouvel esprit que le Prince lui avait donné,
elle avait oublié toutes ses sottises. Elle n'eut pas fait trente pas
en continuant sa promenade, que Riquet à la houppe se présenta à elle, brave[3], magnifique, et comme un Prince qui va se
marier. « Vous me voyez, dit-il, Madame, exact à tenir ma
parole, et je ne doute point que vous ne veniez ici pour exécuter la vôtre, et me rendre, en me donnant la main, le plus heureux de tous les hommes. – Je vous avouerai franchement,
répondit la Princesse, que je n'ai pas encore pris ma résolution
là-dessus, et que je ne crois pas pouvoir jamais la prendre telle
que vous la souhaitez. – Vous m'étonnez, Madame, lui dit
Riquet à la houppe. – Je le crois, dit la Princesse, et assurément
si j'avais affaire à un brutal[4], à un homme sans esprit, je me
trouverais bien embarrassée. Une Princesse n'a que sa parole,
me dirait-il, et il faut que vous m'épousiez, puisque vous me
l'avez promis ; mais comme celui à qui je parle est l'homme du

---

1. Important.
2. Tomber des nues.
3. Élégant.
4. Grossier.

165 monde qui a le plus d'esprit, je suis sûre qu'il entendra raison.
Vous savez que, quand je n'étais qu'une bête, je ne pouvais
néanmoins me résoudre à vous épouser ; comment voulez-vous
qu'ayant l'esprit que vous m'avez donné, qui me rend encore
plus difficile en gens[1] que je n'étais, je prenne aujourd'hui une
170 résolution que je n'ai pu prendre dans ce temps-là ? Si vous pen-
siez tout de bon à m'épouser, vous avez eu grand tort de m'ôter
ma bêtise, et de me faire voir plus clair que je ne voyais. – Si
un homme sans esprit, répondit Riquet à la houppe, serait bien
reçu, comme vous venez de le dire, à vous reprocher votre
175 manque de parole, pourquoi voulez-vous, Madame, que je n'en
use pas de même, dans une chose où il y va de tout le bonheur
de ma vie ? Est-il raisonnable que les personnes qui ont de l'esprit soient d'une pire condition[2] que ceux qui n'en ont pas ? Le
pouvez-vous prétendre, vous qui en avez tant, et qui avez tant
180 souhaité d'en avoir ? Mais venons au fait, s'il vous plaît. À la
réserve[3] de ma laideur, y a-t-il quelque chose en moi qui vous
déplaise ? Êtes-vous mal contente de ma naissance, de mon
esprit, de mon humeur[4], et de mes manières ? – Nullement,
répondit la Princesse, j'aime en vous tout ce que vous venez de
185 me dire. – Si cela est ainsi, reprit Riquet à la houppe, je vais
être heureux, puisque vous pouvez me rendre le plus aimable de
tous les hommes. – Comment cela se peut-il faire ? lui dit la
Princesse. – Cela se fera, répondit Riquet à la houppe, si vous

---

1. Difficile sur les personnes.
2. État.
3. À part, à l'exception.
4. Caractère.

m'aimez assez pour souhaiter que cela soit ; et afin, Madame,
190 que vous n'en doutiez pas, sachez que la même Fée qui au jour
de ma naissance me fit le don de pouvoir rendre spirituelle la
personne qu'il me plairait, vous a aussi fait le don de pouvoir
rendre beau celui que vous aimerez, et à qui vous voudrez bien
faire cette faveur. – Si la chose est ainsi, dit la Princesse, je sou-
195 haite de tout mon cœur que vous deveniez le Prince du monde
le plus beau et le plus aimable ; et je vous en fais le don autant
qu'il est en moi. » La Princesse n'eut pas plus tôt prononcé ces
paroles, que Riquet à la houppe parut à ses yeux l'homme du
monde le plus beau, le mieux fait et le plus aimable qu'elle eût
200 jamais vu. Quelques-uns assurent que ce ne furent point les
charmes de la Fée qui opérèrent, mais que l'amour seul fit cette
Métamorphose. Ils disent que la Princesse ayant fait réflexion
sur la persévérance[1] de son Amant, sur sa discrétion, et sur
toutes les bonnes qualités de son âme et de son esprit, ne vit
205 plus la difformité de son corps, ni la laideur de son visage, que
sa bosse ne lui sembla plus que le bon air d'un homme qui fait
le gros dos, et qu'au lieu que jusqu'alors elle l'avait vu boiter
effroyablement, elle ne lui trouva plus qu'un certain air penché
qui la charmait ; ils disent encore que ses yeux, qui étaient
210 louches, ne lui en parurent que plus brillants, que leur dérègle-
ment passa dans son esprit pour la marque d'un violent excès
d'amour, et qu'enfin son gros nez rouge eut pour elle quelque
chose de Martial[2] et d'Héroïque. Quoi qu'il en soit, la Princesse

1. Constance.
2. Chevaleresque.

lui promit sur-le-champ de l'épouser, pourvu qu'il en obtînt le
215 consentement du Roi son Père. Le Roi ayant su que sa fille avait
beaucoup d'estime pour Riquet à la houppe, qu'il connaissait
d'ailleurs pour un Prince très spirituel et très sage, le reçut avec
plaisir pour son gendre. Dès le lendemain les noces furent
faites, ainsi que Riquet à la houppe l'avait prévu, et selon les
220 ordres qu'il en avait donnés longtemps auparavant.

MORALITÉ

CE que l'on voit dans cet écrit,
> *Est moins un conte en l'air que la vérité même ;*
> *Tout est beau dans ce que l'on aime,*
225 > *Tout ce qu'on aime a de l'esprit.*

AUTRE MORALITÉ

DANS un objet où la Nature,
> *Aura mis de beaux traits, et la vive peinture*
> *D'un teint où jamais l'Art ne saurait arriver,*
230 *Tous ces dons pourront moins pour rendre un cœur sensible,*
> *Qu'un seul agrément invisible*
> *Que l'Amour y fera trouver.*

BIEN LIRE

• Comment est décrite la bêtise de la princesse, et comment son extrême beauté est-elle soulignée ?
• Quelles expressions montrent l'enthousiasme de la princesse pour épouser Riquet ?

Mme Leprince de Beaumont
Contes

Le prince Désir et la princesse Mignonne
La Belle et la Bête

Le prince Désir et la princesse Mignonne

Il y avait une fois un roi qui aimait passionnément une princesse ; mais elle ne pouvait se marier, parce qu'elle était enchantée[1]. Il fut trouver une fée, pour savoir comment il devait faire pour être aimé de cette princesse. La fée lui dit : vous savez que
5 la princesse a un gros chat qu'elle aime beaucoup, elle doit épouser celui qui sera assez adroit pour marcher sur la queue de son chat. Le prince dit en lui-même : Cela ne sera pas fort difficile. Il quitta donc la fée, déterminé à écraser la queue du chat plutôt que de manquer à marcher dessus. Il courut au palais de
10 sa maîtresse, Minon vint au-devant de lui, faisant le gros dos, comme il avait coutume ; le roi leva le pied, mais lorsqu'il croyait l'avoir mis sur la queue, Minon se retourna si vite, qu'il ne prit rien sous son pied. Il fut pendant huit jours à chercher à marcher sur cette fatale queue, mais il semblait qu'elle fût
15 pleine de vif-argent[2], car elle remuait toujours. Enfin, le roi eut le bonheur de surprendre Minon pendant qu'il était endormi, et lui appuya le pied sur la queue de toute sa force. Minon se réveilla, en miaulant horriblement. Puis, tout à coup, il prit la figure d'un grand homme, et regardant le prince avec des yeux
20 pleins de colère, il lui dit : Tu épouseras la princesse, puisque tu as détruit l'enchantement qui t'en empêchait, mais je m'en vengerai. Tu auras un fils qui sera toujours malheureux, jusques au moment où il connaîtra qu'il aura le nez trop long, et si tu

---

1. Victime d'un enchantement, d'un sort.
2. Autre appellation du mercure, métal extrêmement mobile et insaisissable.

parles de la menace que je te fais, tu mourras sur-le-champ.
25 Quoique le roi fût fort effrayé de voir ce grand homme, qui
était un enchanteur[1], il ne put s'empêcher de rire de cette
menace. Si mon fils a le nez trop long, dit-il en lui-même, à
moins qu'il ne soit aveugle ou manchot[2], il pourra toujours le
voir, ou le sentir. L'enchanteur ayant disparu, le roi fut trouver
30 la princesse, qui consentit à l'épouser ; mais il ne vécut pas
longtemps avec elle, et mourut au bout de huit mois. Un mois
après, la reine mit au monde un petit prince qu'on nomma
Désir. Il avait de grands yeux bleus, les plus beaux du monde ;
une jolie petite bouche ; mais son nez était si grand, qu'il lui
35 couvrait la moitié du visage. La reine fut inconsolable, quand
elle vit ce grand nez ; mais les dames qui étaient à côté d'elle,
lui dirent que ce nez n'était pas aussi grand qu'il le lui paraissait ; que c'était un nez à la romaine, et qu'on voyait, par les histoires, que tous les héros avaient un grand nez. La reine, qui
40 aimait son fils à la folie, fut charmée de ce discours, et à force
de regarder Désir, son nez ne lui parut plus si grand. Le prince
fut élevé avec soin ; et sitôt qu'il sut parler, on faisait devant lui
toutes sortes de mauvais contes[3] sur les personnes qui avaient le
nez court. On ne souffrait auprès de lui que ceux dont le nez
45 ressemblait un peu au sien, et les courtisans, pour faire leur
cour à la reine et à son fils, tiraient, plusieurs fois par jour, le
nez de leurs petits enfants, pour le faire allonger ; mais ils

---

1. Magicien.
2. Sans bras.
3. Mauvaises histoires.

avaient beau faire, ils paraissaient camards[1] auprès du prince
Désir. Quand il fut raisonnable, on lui apprit l'histoire, et
50 quand on lui parlait de quelque grand prince ou de quelque
belle princesse, on disait toujours qu'ils avaient le nez long.
Toute sa chambre était pleine de tableaux, où il y avait de
grands nez, et Désir s'accoutuma si bien à regarder la longueur
du nez comme une perfection, qu'il n'eût pas voulu pour une
55 couronne faire ôter une ligne du sien. Lorsqu'il eut vingt ans,
et qu'on pensa à le marier, on lui présenta le portrait de plusieurs princesses. Il fut enchanté de celui de Mignonne : c'était
la fille d'un grand roi, et elle devait avoir plusieurs royaumes ;
mais Désir n'y pensait seulement pas, tant il était occupé de sa
60 beauté. Cette princesse, qu'il trouvait charmante, avait pourtant un petit nez retroussé, qui faisait le plus joli effet du
monde sur son visage, mais qui jeta les courtisans dans le plus
grand embarras. Ils avaient pris l'habitude de se moquer des
petits nez, et il leur échappait quelquefois de rire de celui de la
65 princesse ; mais Désir n'entendait pas raillerie[2] sur cet article[3],
et il chassa de sa cour deux courtisans qui avaient osé parler mal
du nez de Mignonne. Les autres, devenus sages par cet exemple,
se corrigèrent ; et il y en eut un qui dit au prince, qu'à la vérité
un homme ne pouvait pas être aimable sans avoir un grand nez,
70 mais que la beauté des femmes était différente, et qu'un savant,
qui parlait grec, lui avait dit qu'il avait lu, dans un vieux manus-

---

1. Au nez plat et écrasé.
2. Moquerie.
3. Sujet.

crit grec, que la belle Cléopâtre avait le bout du nez retroussé. Le prince fit un présent magnifique à celui qui lui dit cette bonne nouvelle ; et il fit partir des ambassadeurs pour aller
75 demander Mignonne en mariage. On la lui accorda, et il fut au-devant d'elle plus de trois lieues, tant il avait envie de la voir ; mais lorsqu'il s'avançait pour lui baiser la main, on vit descendre l'enchanteur, qui enleva la princesse à ses yeux, et le rendit inconsolable. Désir résolut de ne point rentrer dans son
80 royaume, qu'il n'eût retrouvé Mignonne. Il ne voulut permettre à aucun de ses courtisans de le suivre, et étant monté sur un bon cheval, il lui mit la bride sur le cou, et lui laissa prendre le chemin qu'il voulut. Le cheval entra dans une grande plaine, où il marcha toute la journée sans trouver une seule maison. Le
85 maître et l'animal mouraient de faim ; enfin, sur le soir, il vit une caverne où il y avait de la lumière. Il entra, et vit une petite vieille qui paraissait avoir plus de cent ans. Elle mit ses lunettes pour regarder le prince, mais elle fut longtemps sans pouvoir les faire tenir, parce que son nez était trop court. Le prince et la fée
90 (car c'en était une) firent chacun un éclat de rire en se regardant, et s'écrièrent tous deux en même temps : Ah ! quel drôle de nez. Pas si drôle que le vôtre, dit Désir à la fée ; mais, madame, laissons nos nez pour ce qu'ils sont et soyez assez bonne pour me donner quelque chose à manger, car je meurs
95 de faim, aussi bien que mon pauvre cheval. De tout mon cœur, lui dit la fée. Quoique votre nez soit ridicule, vous n'en êtes pas moins le fils du meilleur de mes amis. J'aimais le roi votre père

comme mon frère ; il avait le nez fort bien fait, ce prince. Et que
manque-t-il au mien, dit Désir ? Oh ! il n'y manque rien, reprit
100 la fée ; au contraire il n'y a que trop d'étoffe[1] : mais n'importe,
on peut être fort honnête homme, et avoir le nez trop long. Je
vous disais donc que j'étais l'amie de votre père, il me venait
voir souvent dans ce temps-là ; et à propos de ce temps-là,
savez-vous bien que j'étais fort jolie alors ; il me le disait. Il faut
105 que je vous conte une conversation que nous eûmes ensemble,
la dernière fois qu'il me vit. Eh ! madame, dit Désir, je vous
écouterai avec bien du plaisir quand j'aurai soupé : pensez, s'il
vous plaît, que je n'ai pas mangé d'aujourd'hui. Le pauvre garçon, dit la fée : il a raison, je n'y pensais pas. Je vais donc vous
110 donner à souper, et pendant que vous mangerez je vous dirai
mon histoire en quatre paroles[2], car je n'aime pas les longs discours. Une langue trop longue est encore plus insupportable
qu'un grand nez, et je me souviens, quand j'étais jeune, qu'on
m'admirait, parce que je n'étais pas une grande parleuse : on le
115 disait à la reine ma mère, car, telle que vous me voyez, je suis la
fille d'un grand roi. Mon père... Votre père mangeait quand il
avait faim, lui dit le prince, en l'interrompant. Oui sans doute,
lui dit la fée, et vous souperez aussi tout à l'heure : je voulais
vous dire seulement que mon père... et moi, je ne veux rien
120 écouter que je n'aie à manger, dit le prince, qui commençait à
se mettre en colère. Il se radoucit pourtant, car il avait besoin

---

1. Matière.
2. En deux mots.

de la fée et il lui dit : je sais que le plaisir que j'aurais en vous écoutant, pourrait me faire oublier la faim ; mais mon cheval qui ne vous entendra pas, a besoin de prendre quelque nourri-
125 ture. La fée se rengorgea[1] à ce compliment. Vous n'attendrez pas davantage, lui dit-elle en appelant ses domestiques, vous êtes bien poli, et malgré la grandeur énorme de votre nez, vous êtes fort aimable. Peste soit de la vieille avec mon nez, dit le prince en lui-même ; on dirait que ma mère lui a volé l'étoffe
130 qui manque au sien ; si je n'avais pas besoin de manger, je laisserais là cette babillarde[2], qui croit être petite parleuse. Il faut être bien sot pour ne pas connaître ses défauts : voilà ce que c'est d'être née princesse ; les flatteurs[3] l'ont gâtée, et lui ont persuadé qu'elle parlait peu. Pendant que le prince pensait cela,
135 les servantes mettaient la table, et le prince admirait la fée qui leur faisait mille questions, seulement pour avoir le plaisir de parler : il admirait surtout une femme de chambre, qui, à propos de tout ce qu'elle voyait louait sa maîtresse sur sa discrétion. Parbleu, pensait-il en mangeant, je suis charmé d'être venu ici.
140 Cet exemple me fait voir combien j'ai fait sagement de ne pas écouter les flatteurs. Ces gens-là nous louent effrontément[4], nous cachent nos défauts et les changent en perfections ; pour moi, je ne serai jamais leur dupe[5], je connais mes défauts, Dieu merci. Le pauvre Désir le croyait bonnement[6], et ne sentait pas

---

1. Se montra fière.
2. Bavarde.
3. Complimenteurs excessifs.
4. Sans honte.
5. Personne trompée.
6. Naïvement.

145 que ceux qui avaient loué[1] son nez, se moquaient de lui,
comme la femme de chambre de la fée se moquait d'elle ; car le
prince vit qu'elle se tournait de temps en temps pour rire. Pour
lui, il ne disait mot, et mangeait de toutes ses forces. Mon
prince, lui dit la fée, quand il commençait à être rassasié, tour-
150 nez-vous un peu, je vous prie, votre nez fait une ombre qui
m'empêche de voir ce qui est sur mon assiette. Ah ça, parlons
de votre père : j'allais à sa cour dans le temps qu'il n'était qu'un
petit garçon, mais il y a quarante ans que je suis retirée dans
cette solitude. Dites-moi un peu comment l'on vit à la cour à
155 présent ; les dames aiment-elles toujours à courir ? De mon
temps on les voyait le même jour à l'assemblée, aux spectacles,
aux promenades, au bal... Que votre nez est long ! je ne puis
m'accoutumer[2] à le voir. En vérité, madame, lui répondit Désir,
cessez de parler de mon nez : il est comme il est, que vous
160 importe ? j'en suis content, je ne voudrais pas qu'il fût plus
court, chacun l'a comme il peut. Oh ! je vois bien que cela vous
fâche, mon pauvre Désir, dit la fée, ce n'est pourtant pas mon
intention, au contraire, je suis de vos amies, et je veux vous
rendre service ; mais malgré cela, je ne puis m'empêcher d'être
165 choquée de votre nez ; je ferai pourtant en sorte de ne vous en
plus parler, je m'efforcerait même de penser que vous êtes
camard, quoiqu'à dire la vérité, il y ait assez d'étoffe dans ce nez
pour en faire trois raisonnables. Désir, qui avait soupé, s'impatienta tellement des discours sans fin que la fée faisait sur son

---

1. Complimenté.
2. Habituer.

170 nez, qu'il se jeta sur son cheval, et sortit. Il continua son voyage, et partout où il passait, il croyait que tout le monde était fou, parce que tout le monde parlait de son nez ; mais, malgré cela, on l'avait si bien accoutumé à s'entendre dire que son nez était beau, qu'il ne put jamais convenir avec lui-même qu'il fût trop 175 long. La vieille fée, qui voulait lui rendre service malgré lui, s'avisa[1] d'enfermer Mignonne dans un palais de cristal, et mit ce palais sur le chemin du prince. Désir, transporté de joie, s'efforça de le casser ; mais il n'en put venir à bout : désespéré, il voulut s'approcher pour parler du moins à la princesse, qui, de 180 son côté, approchait aussi sa main de la glace. Il voulait baiser cette main, mais de quelque côté qu'il se tournât, il ne pouvait y porter la bouche, parce que son nez l'en empêchait. Il s'aperçut, pour la première fois, de son extraordinaire longueur, et le prenant avec sa main pour le ranger de côté : Il faut avouer, dit-185 il, que mon nez est trop long. Dans le moment, le palais de cristal tomba par morceaux, et la vieille qui, tenait Mignonne par la main, dit au prince : Avouez que vous m'avez beaucoup d'obligation[2] ; j'avais beau vous parler de votre nez, vous n'en auriez jamais reconnu le défaut s'il ne fût devenu un obstacle à 190 ce que vous souhaitiez. C'est ainsi que l'amour-propre nous cache les difformités de notre âme et de notre corps. La raison a beau chercher à nous les dévoiler, nous n'en convenons qu'au moment où ce même amour-propre les trouve contraires à ses

---

1. Eut l'idée.
2. Dette.

intérêts. Désir, dont le nez était devenu un nez ordinaire, pro-
195 fita de cette leçon, il épousa Mignonne, et vécut heureux avec
elle un fort grand nombre d'années.

La Belle et la Bête

Il y avait une fois un marchand qui était extrêmement riche. Il avait six enfants, trois garçons et trois filles, et comme ce marchand était un homme d'esprit, il n'épargna rien pour l'éducation de ses enfants et leur donna toutes sortes de maîtres.

5 Ses filles étaient très belles ; mais la cadette surtout se faisait admirer et on ne l'appelait, quand elle était petite, que la *Belle Enfant* ; en sorte que le nom lui en resta, ce qui donna beaucoup de jalousie à ses sœurs. Cette cadette, qui était plus belle que ses sœurs, était aussi meilleure qu'elles. Les deux aînées
10 avaient beaucoup d'orgueil parce qu'elles étaient riches : elles faisaient les dames, et ne voulaient pas recevoir les visites des autres filles de marchands. Elles allaient tous les jours au bal, à la comédie, à la promenade, et se moquaient de leur cadette, qui employait la plus grande partie de son temps à lire de bons
15 livres.

Comme on savait que ces filles étaient fort riches, plusieurs gros marchands les demandèrent en mariage, mais les deux aînées répondirent qu'elles ne se marieraient jamais, à moins qu'elles ne trouvassent un duc, ou tout au moins un comte. La
20 Belle remercia bien honnêtement ceux qui voulaient l'épouser ; mais elle leur dit qu'elle était trop jeune et qu'elle souhaitait tenir compagnie à son père pendant quelques années.

Tout d'un coup, le marchand perdit son bien et il ne lui resta qu'une petite maison de campagne, bien loin de la ville. Il dit en

25 pleurant à ses enfants qu'il leur fallait aller dans cette maison et qu'en travaillant comme des paysans, ils y pourraient vivre. Ses deux filles aînées répondirent qu'elles ne voulaient pas quitter la ville et qu'elles connaissaient des jeunes gens qui seraient trop heureux de les épouser, quoiqu'elles n'eussent plus de fortune.

30 Ces demoiselles se trompaient : leurs amis ne voulurent plus les regarder quand elles furent pauvres. Comme personne ne les aimait, à cause de leur fierté, on disait :

« Elles ne méritent pas qu'on les plaigne ! Nous sommes bien aises de voir leur orgueil abaissé : qu'elles aillent faire les dames 35 en gardant les moutons ! »

Mais en même temps, tout le monde disait :

« Pour la Belle, nous sommes bien fâchés de son malheur : c'est une si bonne fille ! Elle parlait aux pauvres gens avec tant de bonté ; elle était si douce, si honnête ! »

40 Il y eut même plusieurs gentilshommes qui voulurent l'épouser, quoiqu'elle n'eût pas un sou. Mais elle leur dit qu'elle ne pouvait se résoudre à abandonner son pauvre père dans son malheur, et qu'elle le suivrait à la campagne pour le consoler et l'aider à travailler.

45 Quand ils furent arrivés à leur maison de campagne, le marchand et ses trois fils s'occupèrent à labourer la terre. La Belle se levait à quatre heures du matin et se dépêchait de nettoyer la maison et de préparer à dîner pour la famille. Elle eut d'abord beaucoup de peine, car elle n'était pas habituée à travailler 50 comme une servante ; mais, au bout de deux mois, elle devint

plus forte et la fatigue lui donna une santé parfaite. Quand elle avait fait son ouvrage, elle lisait, jouait du clavecin[1], ou bien chantait en filant.

Ses deux sœurs, au contraire, s'ennuyaient à mort ; elles se levaient à dix heures du matin, se promenaient toute la journée, et regrettaient leurs beaux habits et leurs amis.

« Voyez notre cadette, disaient-elles entre elles, elle est si stupide qu'elle se contente de sa malheureuse situation. »

Le bon marchand ne pensait pas comme ses filles. Il savait que la Belle était plus propre que ses sœurs à briller en société. Il admirait la vertu[2] de cette jeune fille et surtout sa patience ; car ses sœurs, non contentes de lui laisser faire tout l'ouvrage[3] de la maison, l'insultaient à tout moment.

Il y avait un an que cette famille vivait dans la solitude, lorsque le marchand reçut une lettre par laquelle on lui annonçait qu'un vaisseau, sur lequel il avait des marchandises, venait d'arriver sans encombre. Cette nouvelle faillit faire tourner la tête à ses deux aînées qui pensaient qu'enfin elles pourraient quitter cette campagne où elles s'ennuyaient tant. Quand elles virent leur père prêt à partir, elles le prièrent de leur apporter des robes, des palatines[4], des coiffures, et toutes sortes de bagatelles[5]. La Belle ne lui demandait rien, car elle pensait que tout l'argent des marchandises ne suffirait pas à acheter ce que ses sœurs souhaitaient.

1. Instrument de musique proche du piano, mais avec deux claviers.
2. Courage.
3. Travail.
4. Vêtements mis à la mode par la princesse Palatine.
5. Frivolités, objets de peu d'utilité.

«Tu ne me pries pas de t'acheter quelque chose? lui
75 demanda son père.

– Puisque vous avez la bonté de penser à moi, lui dit-elle, je
vous prie de m'apporter une rose, car on n'en trouve point ici. »

Ce n'est pas que la Belle se souciât d'une rose mais elle ne
voulait pas condamner, par son exemple, la conduite de ses
80 sœurs qui auraient dit que c'était pour se distinguer qu'elle ne
demandait rien.

Le bonhomme partit. Mais quand il fut arrivé, on lui fit un
procès pour ses marchandises. Et, après avoir eu beaucoup de
peine, il revint aussi pauvre qu'il était auparavant. Il n'avait plus
85 que trente milles[1] à parcourir avant d'arriver à sa maison et il se
réjouissait déjà du plaisir de voir ses enfants. Mais, comme il
fallait traverser un grand bois avant de trouver sa maison, il se
perdit. Il neigeait horriblement ; le vent soufflait si fort qu'il le
jeta deux fois à bas de son cheval. La nuit étant venue, il pensa
90 qu'il mourrait de faim ou de froid, ou qu'il serait mangé par des
loups qu'il entendait hurler autour de lui.

Tout d'un coup, en regardant au bout d'une longue allée
d'arbres, il vit une grande lumière, mais qui paraissait bien éloi-
gnée. Il marcha de ce côté-là et vit que cette lumière venait d'un
95 grand palais, qui était tout illuminé. Le marchand remercia
Dieu du secours qu'il lui envoyait et se hâta d'arriver à ce château ; mais il fut bien surpris de ne trouver personne dans les
cours. Son cheval qui le suivait, voyant une grande écurie

---

1. Ancienne mesure de distance pouvant varier de 1 500 mètres à 9 kilomètres suivant les pays.

ouverte, entra dedans ; ayant trouvé du foin et de l'avoine, le
100 pauvre animal, qui mourait de faim, se jeta dessus avec beaucoup d'avidité[1]. Le marchand l'attacha dans l'écurie et marcha
vers la maison, où il ne trouva personne ; mais étant entré dans
une grande salle, il y trouva un bon feu et une table chargée de
viandes, où il n'y avait qu'un couvert.

105 Comme la pluie et la neige l'avaient mouillé jusqu'aux os, il
s'approcha du feu pour se sécher et disait en lui-même : « Le
maître de la maison ou ses domestiques me pardonneront la
liberté que j'ai prise, et sans doute ils viendront bientôt. » Il
attendit pendant un temps considérable ; mais onze heures
110 ayant sonné sans qu'il vît personne, il ne put résister à la faim
et prit un poulet qu'il mangea en deux bouchées, et en tremblant. Il but aussi quelques coups de vin ; devenu plus hardi[2],
il sortit de la salle et traversa plusieurs grands appartements
magnifiquement meublés. À la fin, il trouva une chambre où il
115 y avait un bon lit et, comme il était minuit passé et qu'il était
las, il prit le parti de fermer la porte et de se coucher.

Il était dix heures du matin quand il s'éveilla le lendemain et il
fut bien surpris de trouver un habit fort propre[3] à la place du sien
qui était tout gâté[4]. « Assurément, pensa-t-il, ce palais appartient
120 à quelque bonne fée qui a eu pitié de ma situation. » Il regarda
par la fenêtre et ne vit plus de neige, mais des berceaux[5] de fleurs

1. Impatience.
2. Audacieux.
3. Élégant.
4. Abîmé.
5. Plates-bandes.

qui enchantaient la vue. Il entra dans la grande salle où il avait soupé la veille et vit une petite table où il y avait du chocolat.

« Je vous remercie, madame la fée, dit-il tout haut, d'avoir eu
125 la bonté de penser à mon déjeuner. »

Le bonhomme, après avoir pris son chocolat, sortit pour aller chercher son cheval et, comme il passait sous un berceau de roses, il se souvint que la Belle lui en avait demandé, et cueillit une branche où il y en avait plusieurs.

130 À cet instant il entendit un grand bruit et vit venir à lui une Bête si horrible qu'il fut tout près de s'évanouir.

« Vous êtes bien ingrat[1], lui dit la Bête d'une voix terrible : je vous ai sauvé la vie en vous recevant dans mon château et, pour ma peine, vous me volez mes roses que j'aime mieux que toute
135 chose au monde : il vous faut mourir pour réparer votre faute. Je ne vous donne qu'un quart d'heure pour demander pardon à Dieu. »

Le marchand se jeta à genoux et dit à la Bête, en joignant les mains :

140 « Monseigneur, pardonnez-moi, je ne croyais pas vous offenser en cueillant une rose pour une de mes filles, qui m'en avait demandé.

– Je ne m'appelle point *Monseigneur*, répondit le monstre, mais *la Bête*. Je n'aime pas les compliments, moi, je veux qu'on
145 dise ce qu'on pense ; ainsi ne croyez pas me toucher par vos flatteries. Mais vous m'avez dit que vous aviez des filles. Je veux

---

1. Qui ne reconnaît pas les bienfaits qui lui sont prodigués.

bien vous pardonner, à condition qu'une de vos filles vienne
volontairement pour mourir à votre place. Ne discutez pas, partez ! Et si vos filles refusent de mourir pour vous, jurez que vous
150 reviendrez dans trois mois. »

Le bonhomme n'avait pas dessein de sacrifier une de ses filles
à ce vilain monstre ; mais il pensa : « Du moins j'aurai le plaisir
de les embrasser encore une fois. » Il jura donc de revenir, et la
Bête lui dit qu'il pourrait partir quand il voudrait. « Mais,
155 ajouta-t-elle, je ne veux pas que tu t'en ailles les mains vides.
Retourne dans la chambre où tu as couché, tu y trouveras un
grand coffre vide, tu peux y mettre tout ce qui te plaira, je le
ferai porter chez toi. »

En même temps la Bête se retira et le bonhomme se dit :
160 « S'il faut que je meure, j'aurai la consolation de laisser du pain
à mes pauvres enfants. »

Il retourna dans la chambre où il avait couché ; y ayant
trouvé une grande quantité de pièces d'or, il remplit le coffre
dont la Bête lui avait parlé, le ferma et, ayant repris son cheval
165 qu'il retrouva dans l'écurie, il sortit de ce palais avec une tristesse égale à la joie qu'il avait lorsqu'il y était entré. Son cheval
prit de lui-même une des routes de la forêt et, en peu d'heures,
le bonhomme arriva dans sa petite maison. Ses enfants se ras-
semblèrent autour de lui ; mais, au lieu d'être sensible à leurs
170 caresses, le marchand se mit à pleurer en les regardant. Il tenait
à la main la branche de roses qu'il apportait à la Belle ; il la lui
donna et lui dit : « La Belle, prenez ces roses ! Elles coûtent bien

cher à votre malheureux père. » Et, tout de suite, il raconta à sa famille la funeste[1] aventure qui lui était arrivée.

175   À ce récit, ses deux aînées jetèrent de grands cris, et dirent des injures à la Belle, qui ne pleurait point.

« Voyez ce que produit l'orgueil de cette petite créature, disaient-elles. Que ne demandait-elle des robes comme nous : mais non, mademoiselle voulait se distinguer ! Elle va causer la
180 mort de notre père, et elle ne pleure pas.

– Cela serait fort inutile, reprit la Belle : pourquoi pleurerais-je la mort de mon père ? Il ne périra point. Puisque le monstre veut bien accepter une de ses filles, je veux me livrer à toute sa furie[2] et je me trouve fort heureuse puisqu'en mourant j'aurai
185 la joie de sauver mon père et de lui prouver ma tendresse.

– Non, ma sœur, lui dirent ses trois frères, vous ne mourrez pas : nous irons trouver ce monstre, nous périrons sous ses coups si nous ne pouvons le tuer.

– Ne l'espérez pas, mes enfants ! leur dit le marchand. La puis-
190 sance de la Bête est si grande qu'il ne me reste aucune espérance de la faire périr. Je suis charmé du bon cœur de la Belle, mais je ne veux pas l'exposer à la mort. Je suis vieux, il ne me reste que peu de temps à vivre ; ainsi je ne perdrai que quelques années de vie que je ne regrette qu'à cause de vous, mes chers enfants.

195   – Je vous assure, mon père, dit la Belle, que vous n'irez pas à ce palais sans moi : vous ne pouvez m'empêcher de vous suivre.

---

1. Malheureuse.
2. Colère.

Quoique je sois jeune, je ne suis pas fort attachée à la vie, et j'aime mieux être dévorée par ce monstre que de mourir du chagrin que me donnerait votre perte. »

200 On eut beau dire, la Belle voulut absolument partir pour le beau palais, et ses sœurs en étaient charmées parce que les vertus de cette cadette leur avaient inspiré beaucoup de jalousie.

Le marchand était si occupé de la douleur de perdre sa fille qu'il ne pensait pas au coffre qu'il avait rempli d'or ; mais aus-205 sitôt qu'il se fut enfermé dans sa chambre pour se coucher, il fut bien étonné de le trouver au pied de son lit. Il résolut de ne point dire à ses enfants qu'il était devenu riche, parce que ses filles auraient voulu retourner à la ville et qu'il était résolu de mourir dans cette campagne, mais il confia ce secret à la Belle 210 qui lui apprit qu'il était venu quelques gentilshommes pendant son absence, qu'il y en avait deux qui aimaient ses sœurs. Elle pria son père de les marier ; car la Belle était si bonne qu'elle les aimait et leur pardonnait de tout son cœur le mal qu'elles lui avaient fait.

215 Ces méchantes filles se frottèrent les yeux avec un oignon pour pleurer lorsque la Belle partit avec son père ; mais ses frères pleuraient tout de bon aussi bien que le marchand. Il n'y avait que la Belle qui ne pleurait point parce qu'elle ne voulait pas augmenter leur douleur.

220 Le cheval prit la route du palais et, sur le soir, ils l'aperçurent illuminé comme la première fois. Le cheval alla tout seul à l'écurie et le bonhomme entra avec sa fille dans la grande salle où ils trouvèrent une table magnifiquement servie, avec deux

couverts. Le marchand n'avait pas le cœur de manger, mais la
225 Belle, s'efforçant de paraître tranquille, se mit à la table et le servit. Puis elle se dit en elle-même : « La Bête veut m'engraisser
avant de me manger puisqu'elle me fait faire si bonne chère. »

Quand ils eurent soupé, ils entendirent un grand bruit. Le
marchand dit adieu à sa pauvre fille en pleurant car il pensait
230 que c'était la Bête. La Belle ne put s'empêcher de frémir en
voyant cette horrible figure, mais elle se rassura de son mieux
et, le monstre lui ayant demandé si c'était de bon cœur qu'elle
était venue, elle lui dit en tremblant que oui.

« Vous êtes bien bonne, lui dit la Bête, et je vous suis bien
235 obligé. Bonhomme, partez demain matin et ne vous avisez
jamais de revenir ici. Adieu, la Belle !

– Adieu, la Bête », répondit-elle, et tout de suite le monstre
se retira.

« Ah ! ma fille, dit le marchand en embrassant la Belle, je suis
240 à demi mort de frayeur. Croyez-moi, laissez-moi ici.

– Non, mon père, lui dit la Belle avec fermeté, vous partirez
demain matin et vous m'abandonnerez au secours du Ciel ;
peut-être aura-t-il pitié de moi. »

Ils allèrent se coucher et croyaient ne pas dormir de toute la
245 nuit ; mais à peine furent-ils dans leurs lits que leurs yeux se fer-
mèrent. Pendant son sommeil, la Belle vit une dame qui lui dit :

« Je suis contente de votre bon cœur, la Belle. La bonne
action que vous faites, en donnant votre vie pour sauver celle
de votre père, ne demeurera pas sans récompense. »
250 La Belle, s'éveillant, raconta ce songe à son père et, quoiqu'il

le consolât un peu, cela ne l'empêcha pas de jeter de grands cris quand il fallut se séparer de sa chère fille.

Lorsqu'il fut parti, la Belle s'assit dans la grande salle et se mit à pleurer aussi. Mais comme elle avait beaucoup de courage, elle se recommanda à Dieu et résolut de ne se point chagriner pour le peu de temps qu'elle avait à vivre car elle croyait fermement que la Bête la mangerait le soir. Elle résolut de se promener en attendant et de visiter ce beau château.

Elle ne pouvait s'empêcher d'en admirer la beauté. Mais elle fut bien surprise de trouver une porte sur laquelle il y avait écrit : *Appartement de la Belle*. Elle ouvrit cette porte avec précipitation et fut éblouie de la magnificence[1] qui y régnait. Mais ce qui frappa le plus sa vue fut une grande bibliothèque, un clavecin et plusieurs livres de musique. « On ne veut pas que je m'ennuie », dit-elle tout bas. Elle pensa ensuite : « Si je n'avais qu'un jour à demeurer ici, on ne m'aurait pas ainsi pourvue[2]. » Cette pensée ranima son courage. Elle ouvrit la bibliothèque et vit un livre où il y avait écrit en lettres d'or : *Souhaitez, commandez : vous êtes ici la reine et la maîtresse*. « Hélas ! dit-elle en soupirant, je ne souhaite rien que de voir mon pauvre père et de savoir ce qu'il fait à présent. » Elle avait dit cela en elle-même.

Quelle fut sa surprise, en jetant les yeux sur un grand miroir, d'y voir sa maison où son père arrivait avec un visage extrême-

---

1. Splendeur.
2. Munie.

275 ment triste ! Ses sœurs venaient au-devant de lui et, malgré les grimaces qu'elles faisaient pour paraître affligées, la joie qu'elles avaient de la perte de leur sœur paraissait sur leur visage. Un moment après, tout cela disparut, et la Belle ne put s'empêcher de penser que la Bête était bien complaisante[1] et qu'elle n'avait
280 rien à craindre.

À midi, elle trouva la table mise et, pendant son dîner, elle entendit un excellent concert, quoiqu'elle ne vît personne. Le soir, comme elle allait se mettre à table, elle entendit le bruit que faisait la Bête et ne put s'empêcher de frémir.

285 « La Belle, lui dit ce monstre, voulez-vous bien que je vous voie souper ?

– Vous êtes le maître, répondit la Belle en tremblant.

– Non, reprit la Bête, il n'y a ici de maîtresse que vous. Vous n'avez qu'à me dire de m'en aller si je vous ennuie ; je sortirai
290 tout de suite. Dites-moi, n'est-ce pas que vous me trouvez bien laid ?

– Cela est vrai, dit la Belle, car je ne sais pas mentir ; mais je crois que vous êtes fort bon.

– Vous avez raison, dit le monstre. Mais outre que je suis
295 laid, je n'ai point d'esprit : je sais bien que je ne suis qu'une Bête.

– On n'est pas bête, reprit la Belle, quand on croit n'avoir point d'esprit. Un sot n'a jamais su cela.

– Mangez donc, la Belle, dit le monstre, et tâchez de ne point

---

1. Aimable.

300 vous ennuyer dans votre maison car tout ceci est à vous, et j'aurais du chagrin si vous n'étiez pas contente.

— Vous avez bien de la bonté, dit la Belle. Je vous assure que je suis contente de votre cœur. Quand j'y pense, vous ne me paraissez plus si laid.

305 — Oh! dame, oui! répondit la Bête. J'ai le cœur bon, mais je suis un monstre.

— Il y a bien des hommes qui sont plus monstres que vous, dit la Belle, et je vous aime mieux avec votre figure que ceux qui, avec la figure d'homme, cachent un cœur faux, cor-

310 rompu[1], ingrat.

— Si j'avais de l'esprit, reprit la Bête, je vous ferais un grand compliment pour vous remercier; mais je suis un stupide, et tout ce que je puis vous dire, c'est que je vous suis bien obligé. »

La Belle soupa de bon appétit. Elle n'avait presque plus peur

315 du monstre, mais elle manqua mourir de frayeur lorsqu'il lui dit :

« La Belle, voulez-vous être ma femme ? » Elle fut quelque temps sans répondre : elle avait peur d'exciter la colère du monstre en refusant sa proposition. Elle lui dit enfin en tremblant :

320 « Non, la Bête. »

Dans le moment, ce pauvre monstre voulut soupirer et il fit un sifflement si épouvantable que tout le palais en retentit; mais la Belle fut bientôt rassurée, car la Bête, lui ayant dit tristement «Adieu donc, la Belle», sortit de la chambre en se

---

1. Mauvais.

325 retournant de temps en temps pour la regarder encore. Belle, se voyant seule, sentit une grande compassion[1] pour cette pauvre Bête. « Hélas ! disait-elle, c'est bien dommage qu'elle soit si laide, elle est si bonne ! »

Belle passa trois mois dans ce palais avec assez de tranquillité.
330 Tous les soirs, la Bête lui rendait visite et parlait avec elle pendant le souper avec assez de bon sens, mais jamais avec ce qu'on appelle esprit dans le monde. Chaque jour, Belle découvrait de nouvelles bontés dans ce monstre : l'habitude de le voir l'avait accoutumée à sa laideur et, loin de craindre le moment de sa
335 visite, elle regardait souvent sa montre pour voir s'il était bientôt neuf heures, car la Bête ne manquait jamais de venir à cette heure-là.

Il n'y avait qu'une chose qui faisait de la peine à la Belle, c'est que le monstre, avant de se coucher, lui demandait toujours si
340 elle voulait être sa femme et paraissait pénétré de douleur lorsqu'elle lui disait que non. Elle lui dit un jour :

« Vous me chagrinez, la Bête ! Je voudrais pouvoir vous épouser, mais je suis trop sincère pour vous faire croire que cela arrivera jamais : je serai toujours votre amie ; tâchez de vous
345 contenter de cela.

— Il le faut bien, reprit la Bête. Je me rends justice ! je sais que je suis horrible, mais je vous aime beaucoup. Aussi, je suis trop heureux de ce que vous vouliez bien rester ici. Promettez-moi que vous ne me quitterez jamais ! »

---

1. Peine.

350 La Belle rougit à ces paroles. Elle avait vu, dans son miroir, que son père était malade de chagrin de l'avoir perdue et elle souhaitait le revoir.

« Je pourrais bien vous promettre de ne vous jamais quitter tout à fait, mais j'ai tant envie de revoir mon père que je mour-
355 rai de douleur si vous me refusez ce plaisir.

– J'aime mieux mourir moi-même, dit le monstre, que de vous donner du chagrin. Je vous enverrai chez votre père, vous y resterez, et votre pauvre Bête en mourra de douleur.

– Non, lui dit la Belle en pleurant, je vous aime trop pour
360 vouloir causer votre mort. Je vous promets de revenir dans huit jours. Vous m'avez fait voir que mes sœurs sont mariées et que mes frères sont partis pour l'armée. Mon père est tout seul : acceptez que je reste chez lui une semaine.

– Vous y serez demain au matin, dit la Bête. Mais souvenez-
365 vous de votre promesse : vous n'aurez qu'à mettre votre bague sur une table en vous couchant quand vous voudrez revenir. Adieu, la Belle ! »

La Bête soupira, selon sa coutume, en disant ces mots, et la Belle se coucha, toute triste de l'avoir affligée. Quand elle se
370 réveilla, le matin, elle se trouva dans la maison de son père et, ayant sonné une clochette qui était à côté du lit, elle vit venir la servante qui poussa un grand cri en la voyant. Le bon-homme accourut à ce cri et manqua de mourir de joie en revoyant sa chère fille, et ils se tinrent embrassés plus d'un
375 quart d'heure.

La Belle, après les premiers transports[1], pensa qu'elle n'avait point d'habits pour se lever ; mais la servante lui dit qu'elle venait de trouver dans la chambre voisine un grand coffre plein de robes d'or, garnies de diamants. Belle remercia la bonne Bête de ses
380 attentions. Elle prit la moins riche de ces robes et dit à la servante de ranger les autres dont elle voulait faire présent à ses sœurs. Mais à peine eut-elle prononcé ces paroles que le coffre disparut. Son père lui dit que la Bête voulait qu'elle gardât tout cela pour elle, et aussitôt les robes et le coffre revinrent à la même place.

385 La Belle s'habilla et, pendant ce temps, on alla avertir ses sœurs qui accoururent avec leurs maris. Elles étaient toutes deux fort malheureuses. L'aînée avait épousé un jeune gentilhomme beau comme l'Amour ; mais il était si amoureux de sa propre figure qu'il n'était occupé que de cela depuis le matin
390 jusqu'au soir. La seconde avait épousé un homme qui avait beaucoup d'esprit, mais il ne s'en servait que pour faire enrager tout le monde, à commencer par sa femme. Les sœurs de la Belle manquèrent de mourir de douleur quand elles la virent habillée comme une princesse, et plus belle que le jour. Rien ne
395 put étouffer leur jalousie, qui augmenta lorsque la Belle leur eut conté combien elle était heureuse. Ces deux jalouses descendirent dans le jardin pour y pleurer tout à leur aise et elles se disaient :

« Pourquoi cette petite créature est-elle plus heureuse que
400 nous ? Ne sommes-nous pas plus aimables qu'elle ?

---

1. Élans.

– Ma sœur, dit l'aînée, il me vient une pensée! Tâchons de l'arrêter ici plus de huit jours : sa sotte Bête se mettra en colère de ce qu'elle lui aura manqué de parole et peut-être qu'elle la dévorera.

405 – Vous avez raison, ma sœur, répondit l'autre. Nous ferons tout pour la retenir ici. »

Et, ayant pris cette résolution, elles remontèrent et firent tant d'amitiés à leur sœur que la Belle en pleura de joie.

Quand les huit jours furent passés, les deux sœurs s'arrachè-
410 rent les cheveux, feignirent[1] tellement d'être affligées de son départ que la Belle promit de rester encore huit jours.

Cependant Belle se reprochait le chagrin qu'elle allait donner à sa pauvre Bête qu'elle aimait de tout son cœur. Elle s'ennuyait aussi de ne plus la voir.

415 La dixième nuit qu'elle passa chez son père, elle rêva qu'elle était dans le jardin du palais et qu'elle voyait la Bête couchée sur l'herbe, et prête à mourir, qui lui reprochait son ingratitude[2]. La Belle se réveilla en sursaut et versa des larmes. « Ne suis-je pas bien méchante, dit-elle, de donner du chagrin à une bête qui a
420 pour moi tant de complaisance[3] ! Est-ce sa faute si elle est si laide ? et si elle a peu d'esprit ? Elle est bonne, cela vaut mieux que tout le reste. Pourquoi n'ai-je pas voulu l'épouser ? Je serais plus heureuse avec elle que mes sœurs avec leurs maris. Ce n'est ni la beauté ni l'esprit d'un mari qui rendent une femme contente,

---

1. Firent semblant.
2. Manque de reconnaissance.
3. Gentillesse.

425 c'est la bonté du caractère, la vertu, et la Bête a toutes ces bonnes qualités. Je n'ai point d'amour pour elle, mais j'ai de l'estime, de l'amitié et de la reconnaissance. Allons, il ne faut pas la rendre malheureuse ! Je me reprocherais toute ma vie mon ingratitude. »

À ces mots, Belle se lève, met sa bague sur la table et revient
430 se coucher. À peine fut-elle dans son lit qu'elle s'endormit.

Quand elle se réveilla le matin, elle vit avec joie qu'elle était dans le palais de la Bête. Elle s'habilla magnifiquement pour lui plaire et s'ennuya à mourir toute la journée, en attendant neuf heures du soir ; mais l'horloge eut beau sonner, la Bête ne parut
435 point. La Belle alors craignit d'avoir causé sa mort. Elle courut tout le palais en jetant de grands cris ; elle était au désespoir. Après avoir cherché partout, elle se souvint de son rêve et courut dans le jardin vers le canal où elle l'avait vue en dormant.

Elle trouva la pauvre Bête étendue, sans connaissance et crut
440 qu'elle était morte. Elle se jeta sur son corps sans avoir horreur de sa figure et, sentant que son cœur battait encore, elle prit de l'eau dans le canal et lui en jeta sur la tête. La Bête ouvrit les yeux et dit à la Belle :

« Vous avez oublié votre promesse ! Le chagrin de vous avoir
445 perdue m'a fait résoudre à me laisser mourir de faim ; mais je meurs content puisque j'ai le plaisir de vous revoir encore une fois.

– Non, ma chère Bête, vous ne mourrez point ! lui dit la Belle. Vous vivrez pour devenir mon époux. Dès ce moment, je
450 vous donne ma main et je jure que je ne serai qu'à vous. Hélas !

je croyais n'avoir que de l'amitié pour vous, mais la douleur que je sens me fait voir que je ne pourrais vivre sans vous voir. »

À peine la Belle eut-elle prononcé ces paroles qu'elle vit le château brillant de lumières. Les feux d'artifice, la musique,
455 tout lui annonçait une fête ; mais toutes ces beautés n'arrêtèrent point sa vue. Elle se retourna vers sa chère Bête dont l'état faisait frémir. Quelle ne fut pas sa surprise ? La Bête avait disparu, et elle ne vit plus à ses pieds qu'un prince plus beau que l'Amour, qui la remerciait d'avoir rompu son enchantement.

460 Quoique ce prince méritât toute son attention, elle ne put s'empêcher de lui demander où était la Bête.

« Vous la voyez à vos pieds, lui dit le prince. Une méchante fée m'avait condamné à rester sous cette figure jusqu'à ce qu'une belle fille consentît à m'épouser, et elle m'avait défendu
465 de faire paraître mon esprit. Ainsi il n'y avait que vous dans le monde pour vous laisser toucher par la bonté de mon caractère : en vous offrant ma couronne, je ne puis m'acquitter des obligations que j'ai pour vous. »

La Belle, agréablement surprise, donna la main à ce beau
470 prince pour le relever. Ils allèrent ensemble au château et la Belle manqua mourir de joie en trouvant, dans la grand-salle, son père et toute sa famille, que la belle dame qui lui était apparue en songe avait transportés au château.

« Belle, lui dit cette dame, qui était une grande fée, venez
475 recevoir la récompense de votre bon choix : vous avez préféré la vertu à la beauté et à l'esprit. Vous méritez de trouver toutes ces

qualités réunies en une même personne. Vous allez devenir une grande reine : j'espère que le trône ne détruira pas vos vertus[1].
Pour vous, mesdemoiselles, dit la fée aux deux sœurs de Belle,
480 je connais votre cœur et toute la malice qu'il renferme. Devenez deux statues, mais conservez toute votre raison sous la pierre qui vous enveloppera. Vous demeurerez à la porte du palais de votre sœur, et je ne vous impose point d'autre peine que d'être témoins de son bonheur. Vous ne pourrez revenir dans votre
485 premier état qu'au moment où vous reconnaîtrez vos fautes. Mais j'ai bien peur que vous ne restiez toujours statues. On se corrige de l'orgueil, de la colère, de la gourmandise et de la paresse, mais c'est une espèce de miracle que la conversion[2] d'un cœur méchant et envieux. »

490 Dans le moment, la fée donna un coup de baguette qui transporta tous ceux qui étaient dans cette salle dans le royaume du prince. Ses sujets le virent avec joie, et il épousa la Belle, qui vécut avec lui fort longtemps, et dans un bonheur parfait, parce qu'il était fondé sur la vertu.

---

1. Qualités.
2. Changement.

BIEN LIRE

• Comment la situation désespérée du père est-elle suggérée ?

• Comment l'attitude du père est-elle justifiée et en quoi celle des sœurs est-elle injuste (p. 68) ?

• Comment le courage de la Belle se manifeste-t-il (p. 70) ?

• Comment l'existence de la Belle chez la Bête s'annonce-t-elle et à quels signes voit-on que la Belle se familiarise peu à peu avec la Bête (p. 73) ?

• Comment interpréter la phrase : « Elle s'ennuyait aussi de ne plus la voir » (l. 413-414) ?

• Que récompense-t-on chez la Belle (l. 474-476) ?

Mme d'Aulnoy
Conte

La Belle aux Cheveux d'Or

La Belle aux Cheveux d'Or

Il y avait une fois la fille d'un roi, qui était si belle qu'il n'y avait rien de si beau au monde ; et à cause qu'elle était si belle, on la nommait la Belle aux Cheveux d'Or, car ses cheveux étaient plus fins que de l'or, et blonds par merveille, tout frisés, qui lui tombaient jusques sur les pieds. Elle allait toujours couverte de ses cheveux bouclés, avec une couronne de fleurs sur la tête, et des habits brodés de diamants et de perles, tant il y a qu'on ne pouvait la voir sans l'aimer.

Il y avait un jeune roi de ses voisins qui n'était point marié, et qui était bien fait et bien riche. Quand il eut appris tout ce qu'on disait de la Belle aux Cheveux d'Or, bien qu'il ne l'eût point encore vue, il se prit à l'aimer si fort, qu'il en perdait le boire et le manger, et il se résolut de lui envoyer un ambassadeur pour la demander en mariage. Il fit faire un carrosse magnifique à son ambassadeur ; il lui donna plus de cent chevaux et de cent laquais[1], et lui recommanda bien de lui amener la princesse.

Quand il eut pris congé du roi et qu'il fut parti, toute la cour ne parlait d'autre chose ; et le roi qui ne doutait pas que la Belle aux Cheveux d'Or ne consentît à ce qu'il souhaitait, lui faisait déjà faire de belles robes, et des meubles admirables. Pendant que les ouvriers étaient occupés à travailler, l'ambassadeur arrivé chez la Belle aux Cheveux d'Or, lui fit son petit message ;

---

1. Valets.

mais soit qu'elle ne fût pas ce jour-là de bonne humeur, ou que
25 le compliment ne lui semblât pas à son gré, elle répondit à l'ambassadeur qu'elle remerciait le roi, et qu'elle n'avait point envie
de se marier.

L'ambassadeur partit de la cour de cette princesse, bien triste
de ne la pas amener avec lui, il rapporta tous les présents qu'il
30 lui avait portés de la part du roi ; car elle était fort sage et savait
bien qu'il ne faut pas que les filles reçoivent rien des garçons ;
aussi elle ne voulut jamais accepter les beaux diamants et le
reste ; et, pour ne pas mécontenter le roi, elle prit seulement un
quarteron[1] d'épingles d'Angleterre.

35 Quand l'ambassadeur arriva à la grande ville du roi, où il
était attendu si impatiemment, chacun s'affligea de ce qu'il ne
ramenait point la Belle aux Cheveux d'Or, et le roi se prit à
pleurer comme un enfant : on le consolait sans en pouvoir venir
à bout.

40 Il y avait un jeune garçon à la cour qui était beau comme le
soleil, et le mieux fait de tout le royaume : à cause de sa bonne
grâce et de son esprit, on le nommait Avenant. Tout le monde
l'aimait, hors les envieux, qui étaient fâchés que le roi lui fît du
bien, et qu'il lui confiât tous les jours ses affaires.

45 Avenant se trouva avec des personnes qui parlaient du retour
de l'ambassadeur, et qui disaient qu'il n'avait rien fait qui vaille ;
il leur dit, sans y prendre trop garde : Si le roi m'avait envoyé
vers la Belle aux Cheveux d'Or, je suis certain qu'elle serait reve-

---

1. Poignée.

nue avec moi. Tout aussitôt ces méchantes gens vont dire au
50 roi : Sire, vous ne savez pas ce que dit Avenant ? Que, si vous
l'aviez envoyé chez la Belle aux Cheveux d'Or il l'aurait rame-
née. Considérez bien sa malice ; il prétend être plus beau que
vous, et qu'elle l'aurait tant aimé, qu'elle l'aurait suivi partout.
Voilà le roi qui se met en colère, en colère tant et tant, qu'il était
55 hors de lui. Ah, ah, dit-il, ce joli mignon se moque de mon
malheur, et il se prise[1] plus que moi ; allons, qu'on le mette
dans ma grosse tour, et qu'il y meure de faim.

Les gardes du roi furent chez Avenant, qui ne pensait plus à
ce qu'il avait dit ; ils le traînèrent en prison, et lui firent mille
60 maux[2]. Ce pauvre garçon n'avait qu'un peu de paille pour se
coucher ; et il serait mort, sans qu'il coulait une petite fontaine
dans le pied de la tour, dont il buvait un peu pour se rafraîchir ;
car la faim lui avait bien séché la bouche.

Un jour qu'il n'en pouvait plus, il disait en soupirant : De
65 quoi se plaint le roi ? Il n'a point de sujet qui lui soit plus fidèle
que moi ; je ne l'ai jamais offensé[3]. Le roi par hasard passait
proche de la tour ; et, quand il entendit la voix de celui qu'il
avait tant aimé, il s'arrêta pour l'écouter, malgré ceux qui
étaient avec lui, qui haïssaient Avenant, et qui disaient au roi :
70 À quoi vous amusez-vous, sire ? Ne savez-vous pas que c'est un
fripon ? Le roi répondit : Laissez-moi là, je veux l'écouter. Ayant
ouï ses plaintes, les larmes lui en vinrent aux yeux ; il ouvrit la

---

1. S'estime.
2. Pluriel de « mal ».
3. Blessé, outragé.

porte de la tour, et l'appela. Avenant vint tout triste se mettre à genoux devant lui, et baisa ses pieds : Que vous ai-je fait, sire,
75 lui dit-il, pour me traiter si durement ! Tu t'es moqué de moi et de mon ambassadeur, dit le roi. Tu as dit que si je t'avais envoyé chez la Belle aux Cheveux d'Or, tu l'aurais bien amenée. Il est vrai, sire, répondit Avenant, que je lui aurais si bien fait connaître vos grandes qualités, que je suis persuadé qu'elle n'au-
80 rait pu s'en défendre ; et en cela je n'ai rien dit qui ne vous dût être agréable. Le roi trouva qu'effectivement il n'avait point de tort ; il regarda de travers ceux qui lui avaient dit du mal de son favori, et il l'emmena avec lui, se repentant[1] bien de la peine qu'il lui avait faite.

85   Après l'avoir fait souper à merveille, il l'appela dans son cabi-
net, et lui dit : Avenant, j'aime toujours la Belle aux Cheveux d'Or, ses refus ne m'ont point rebuté[2] ; mais je ne sais comment m'y prendre pour qu'elle veuille m'épouser : j'ai envie de t'y envoyer pour voir si tu pourras réussir. Avenant répliqua qu'il
90 était disposé à lui obéir en toutes choses, et qu'il partirait dès le lendemain. Ho ! dit le roi, je veux te donner un grand équipage. Cela n'est point nécessaire, répondit-il, il ne me faut qu'un bon cheval avec des lettres de votre part. Le roi l'embrassa ; car il était ravi de le voir sitôt prêt.

95   Ce fut un lundi matin qu'il prit congé du roi et de ses amis, pour aller à son ambassade tout seul, sans pompe[3] et sans bruit.

---

1. Regrettant.
2. Découragé.
3. Sans apparat.

Il ne faisait que rêver aux moyens d'engager la Belle aux
Cheveux d'Or d'épouser le roi ; il avait un écritoire[1] dans sa
poche ; et, quand il lui venait quelque belle pensée à mettre
dans sa harangue[2], il descendait de cheval, et s'asseyait sous des
arbres pour écrire afin de ne rien oublier. Un matin qu'il était
parti à la petite pointe du jour, en passant dans une grande prairie, il lui vint une pensée fort jolie ; il mit pied à terre, et se
plaça contre des saules et des peupliers, qui étaient plantés le
long d'une petite rivière qui coulait au bord du pré. Après qu'il
eut écrit, il regarda de tous côtés, charmé de se trouver en un si
bel endroit. Il aperçut sur l'herbe une grosse carpe dorée, qui
bâillait, et qui n'en pouvait plus ; car, ayant voulu attraper de
petits moucherons, elle avait sauté si haut hors de l'eau, qu'elle
s'était élancée sur l'herbe, où elle était prête à mourir. Avenant
en eut pitié ; et, quoiqu'il fût jour maigre[3], et qu'il eût pu l'emporter pour son dîner, il fut la prendre, et la remit doucement
dans la rivière. Dès que ma commère la carpe[4] sentit la fraî-
cheur de l'eau, elle commence à se réjouir, et se laisse couler jusqu'au fond ; puis, revenant toute gaillarde[5] au bord de la
rivière : Avenant, dit-elle, je vous remercie du plaisir que vous
venez de me faire ; sans vous je serais morte, et vous m'avez sau-
vée : je vous le revaudrai. Après ce petit compliment, elle s'en-

1. Coffret avec le nécessaire pour écrire.
2. Discours.
3. Jour où l'on ne mange pas de viande.
4. Allusion à une fable de La Fontaine, *Le Héron*, dans laquelle cette formule est utilisée.
5. Pleine de vie.

fonça dans l'eau, et Avenant demeura bien surpris de l'esprit et
120 de la grande civilité[1] de la carpe.

Un autre jour qu'il continuait son voyage, il vit un corbeau
bien embarrassé ; ce pauvre oiseau était poursuivi par un gros
aigle, (grand mangeur de corbeaux) ; il était près de l'attraper,
et il l'aurait avalé comme une lentille, si Avenant n'eût eu com-
125 passion du malheur de cet oiseau. Voilà, dit-il, comme les plus
forts oppriment[2] les plus faibles ; quelle raison a l'aigle de manger le corbeau ? Il prend son arc, qu'il portait toujours, et une
flèche ; puis, mirant[3] bien l'aigle, croc, il lui décoche[4] la flèche
dans le corps, et le perce de part en part, il tombe mort, et le
130 corbeau ravi vint se percher sur un arbre : Avenant, lui dit-il,
vous êtes bien généreux de m'avoir secouru, moi qui ne suis
qu'un misérable corbeau ; mais je n'en demeurerai point ingrat,
je vous le revaudrai.

Avenant admira le bon esprit du corbeau, et continua son
135 chemin. En entrant dans un grand bois, si matin qu'il ne voyait
qu'à peine à se conduire, il entendit un hibou qui criait en
hibou désespéré. Ouais ! dit-il, voilà un hibou bien affligé, il
pourrait s'être laissé prendre dans quelques filets ; il chercha de
tous côtés, et enfin il trouva de grands filets que des oiseleurs
140 avaient tendus la nuit pour attraper les oisillons. Quelle pitié !
dit-il, les hommes ne sont faits que pour s'entretourmenter, ou
pour persécuter de pauvres animaux, qui ne leur font ni tort ni

---

1. Politesse.
2. Persécutent.
3. Visant.
4. Envoie.

dommage. Il tira son couteau, et coupa les cordelettes. Le hibou prit l'essor[1], mais, revenant à tire-d'aile : Avenant, dit-il,

145 il n'est pas nécessaire que je vous fasse une longue harangue, pour vous faire comprendre l'obligation que je vous ai ; elle parle assez d'elle-même : les chasseurs allaient venir, j'étais pris, j'étais mort sans votre secours ; j'ai le cœur reconnaissant, je vous le revaudrai.

150 Voilà les trois plus considérables aventures qui arrivèrent à Avenant dans son voyage : Il était si pressé d'arriver, qu'il ne tarda pas à se rendre au palais de la Belle aux Cheveux d'Or. Tout y était admirable ; l'on y voyait les diamants entassés comme des pierres, les beaux habits, le bonbon, l'argent :

155 c'étaient des choses merveilleuses ; et il pensait en lui-même que si elle quittait tout cela pour venir chez le roi son maître, il faudrait qu'il jouât bien de bonheur. Il prit un habit de brocart[2], des plumes incarnates et blanches ; il se peigna, se poudra, se lava le visage, il mit une riche écharpe toute brodée à son

160 cou, avec un petit panier, et dedans un beau petit chien, qu'il avait acheté en passant à Boulogne. Avenant était si bien fait, si aimable, il faisait toutes choses avec tant de grâce, que lorsqu'il se présenta à la porte du palais, tous les gardes lui firent une grande révérence ; et l'on courut dire à la Belle aux Cheveux

165 d'Or, qu'Avenant, ambassadeur du roi son plus proche voisin, demandait à la voir.

Sur ce nom d'Avenant, la princesse dit : Cela me porte bonne

---

1. Élan.
2. Tissu de soie rehaussé de fils d'or ou d'argent.

signification ; je gagerais[1] qu'il est joli, et qu'il plaît à tout le
monde. Vraiment oui, Madame, lui dirent toutes ses filles
170 d'honneur, nous l'avons vu du grenier où nous accommodions
votre filasse[2], et, tant qu'il a demeuré sous les fenêtres, nous
n'avons pu rien faire. Voilà qui est beau, répliqua la Belle aux
Cheveux d'Or, de vous amuser à regarder les garçons. Çà, que
l'on me donne ma grande robe de satin bleu brodée, et que l'on
175 éparpille bien mes blonds cheveux ; que l'on me fasse des guir-
landes de fleurs nouvelles, que l'on me donne mes souliers
hauts et mon éventail ; que l'on balaie ma chambre et mon
trône ; car je veux qu'il dise partout que je suis vraiment la Belle
aux Cheveux d'Or.

180   Voilà toutes ses femmes qui s'empressaient de la parer[3] comme
une reine ; elles étaient si hâtées[4] qu'elles s'entrecognaient et
n'avançaient guère. Enfin la princesse passa dans sa galerie aux
grands miroirs, pour voir si rien ne lui manquait ; et puis elle
monta sur son trône d'or, d'ivoire et d'ébène, qui sentait comme
185 baume[5] ; et elle commanda à ses filles de prendre des instruments
et de chanter tout doucement pour n'étourdir personne.

     L'on conduisit Avenant dans la salle d'audience ; il demeura
si transporté d'admiration qu'il a dit depuis bien des fois, qu'il
ne pouvait presque parler ; néanmoins il prit courage, et fit sa
190 harangue à merveille : il pria la princesse qu'il n'eût pas le

---

1. Parierais.
2. Matière textile non encore filée.
3. Habiller somptueusement.
4. Pressées.
5. Parfum.

déplaisir de s'en retourner sans elle. Gentil Avenant, lui dit-elle,
toutes les raisons que vous venez de me conter sont fort bonnes,
et je vous assure que je serais bien aise de vous favoriser plus
qu'un autre, mais il faut que vous sachiez qu'il y a un mois que
195 je fus me promener sur la rivière avec toutes mes dames, et,
comme l'on me servit la collation, en ôtant mon gant, je tirai
de mon doigt une bague qui tomba par malheur dans la rivière :
je la chérissais plus que mon royaume ; je vous laisse juger de
quelle affliction[1] cette perte fut suivie : j'ai fait serment de
200 n'écouter jamais aucunes propositions de mariage que l'ambassadeur qui me proposera un époux ne me rapporte ma bague.
Voyez à présent ce que vous avez à faire là-dessus ; car, quand
vous me parleriez quinze jours et quinze nuits, vous ne me per-
suaderiez pas de changer de sentiment.

205   Avenant demeura bien étonné de cette réponse, il lui fit une
profonde révérence, et la pria de recevoir le petit chien, le
panier et l'écharpe ; mais elle lui répliqua qu'elle ne voulait
point de présents, et qu'il songeât à ce qu'elle venait de lui dire.

Quand il fut retourné chez lui, il se coucha sans souper ; et
210 son petit chien, qui s'appelait Cabriolle, ne voulut pas souper
non plus : il vint se mettre auprès de lui. Tant que la nuit fut
longue, Avenant ne cessa point de soupirer. Où puis-je prendre
une bague tombée depuis un mois dans une grande rivière,
disait-il ? C'est toute folie de l'entreprendre. La princesse ne m'a
215 dit cela que pour me mettre dans l'impossibilité de lui obéir :

---

1. Peine.

Il soupirait et s'affligeait très fort. Cabriolle qui l'écoutait, lui dit : Mon cher maître, je vous prie, ne désespérez point de votre bonne fortune[1] ; vous êtes trop aimable pour n'être pas heureux : allons dès qu'il fera jour au bord de la rivière. Avenant lui
220 donna deux petits coups de la main, et ne répondit rien ; mais, tout accablé de tristesse, il s'endormit.

Cabriolle, voyant le jour, cabriola[2] tant qu'il l'éveilla, et lui dit : mon maître, habillez-vous, et sortons. Avenant le voulut bien ; il se lève, s'habille et descend dans le jardin, et du jardin
225 il va insensiblement au bord de la rivière, où il se promenait son chapeau sur les yeux et les bras croisés l'un sur l'autre, ne pensant qu'à son départ, quand tout d'un coup il entendit qu'on l'appelait : Avenant, Avenant ! Il regarde de tous côtés et ne voit personne ; il crut rêver. Il continue sa promenade ; on le rap-
230 pelle : Avenant, Avenant ! Qui m'appelle ? dit-il. Cabriolle, qui était fort petit, et qui regardait de près dans l'eau, lui répliqua : Ne me croyez jamais si ce n'est une carpe dorée que j'aperçois. Aussitôt la grosse carpe paraît, et lui dit : Vous m'avez sauvé la vie dans le pré des Alisiers, où je serais restée sans vous ; je vous
235 promis de vous le revaloir : tenez, cher Avenant, voici la bague de la Belle aux Cheveux d'Or. Il se baissa, et la prit dans la gueule de ma commère la carpe, qu'il remercia mille fois.

Au lieu de retourner chez lui, il fut droit au palais avec le petit Cabriolle, qui était bien aise d'avoir fait venir son maître

---

1. Chance.
2. Sauta partout.

240 au bord de l'eau. L'on alla dire à la princesse qu'il demandait à la voir. Hélas! dit-elle, le pauvre garçon, il vient prendre congé[1] de moi; il a considéré que ce que je veux est impossible, et il va le dire à son maître. L'on fit entrer Avenant, qui lui présenta sa bague et lui dit: Madame la princesse, voilà votre commande-
245 ment fait; vous plaît-il recevoir le roi mon maître pour époux? Quand elle vit sa bague où il ne manquait rien, elle resta si étonnée, si étonnée, qu'elle croyait rêver. Vraiment, dit-elle, gracieux Avenant, il faut que vous soyez favorisé de quelque fée, car naturellement cela n'est pas possible. Madame, dit-il, je n'en
250 connais aucune, mais j'avais bien envie de vous obéir. Puisque vous avez si bonne volonté, continua-t-elle, il faut que vous me rendiez un autre service, sans lequel je ne me marierai jamais. Il y a un prince, qui n'est pas éloigné d'ici, appelé Galifron, lequel s'était mis dans l'esprit de m'épouser. Il me fit déclarer
255 son dessein avec des menaces épouvantables, que si je le refu-sais, il désolerait[2] mon royaume, mais jugez si je pouvais l'ac-cepter. C'est un géant qui est plus haut qu'une haute tour; il mange un homme comme un singe mange un marron. Quand il va à la campagne, il porte dans ses poches de petits canons,
260 dont il se sert au lieu de pistolets; et lorsqu'il parle bien haut, ceux qui sont près de lui deviennent sourds. Je lui mandai[3] que je ne voulais point me marier, et qu'il m'excusât; cependant il n'a point laissé[4] de me persécuter; il tue tous mes sujets; et

---

1. Partir, dire adieu.
2. Ruinerait.
3. Dit.
4. Ne s'est pas privé.

avant toutes choses il faut vous battre contre lui, et m'apporter
265 sa tête.

Avenant demeura un peu étourdi de cette proposition ; il
rêva quelque temps, et puis il dit : Hé bien, Madame, je com-
battrai Galifron ; je crois que je serai vaincu, mais je mourrai en
brave homme. La princesse resta bien étonnée : elle lui dit mille
270 choses pour l'empêcher de faire cette entreprise. Cela ne servit
de rien ; il se retira pour aller chercher des armes et tout ce qu'il
lui fallait. Quand il eut ce qu'il voulait, il remit le petit
Cabriolle dans son panier, il monta sur son beau cheval, et fut
dans le pays de Galifron. Il demandait de ses nouvelles à ceux
275 qu'il rencontrait, et chacun lui disait que c'était un vrai démon,
dont on n'osait approcher : plus il entendait dire cela, plus il
avait peur. Cabriolle le rassurait, et lui disait : Mon cher maître,
pendant que vous vous battrez, j'irai lui mordre les jambes ; il
baissera la tête pour me chasser, et vous le tuerez. Avenant
280 admirait l'esprit du petit chien ; mais il savait assez que son
secours ne suffisait pas.

Enfin il arriva proche du château de Galifron ; tous les che-
mins étaient couverts d'os et de carcasses d'hommes qu'il avait
mangés ou mis en pièces. Il ne l'attendit pas longtemps qu'il le
285 vit venir à travers d'un bois ; sa tête passait les plus grands
arbres, et il chantait d'une voix épouvantable :

> Où sont les petits enfants,
> Que je les croque à belles dents ?

Il m'en faut tant, tant et tant,
290   Que le monde n'est suffisant.

Aussitôt Avenant se mit à chanter sur le même air :

Approche, voici Avenant,
Qui t'arrachera les dents ;
Bien qu'il ne soit pas des plus grands,
295   Pour te battre il est suffisant.

Les rimes n'étaient pas régulières, mais il fit la chanson fort vite, et c'est même un miracle comme il ne la fit pas plus mal ; car il avait horriblement peur. Quand Galifron entendit ces paroles, il regarda de tous côtés, et il aperçut Avenant l'épée à 300 la main, qui lui dit deux ou trois injures pour l'irriter. Il n'en fallut pas tant, il se mit dans une colère effroyable ; et, prenant une massue[1] toute de fer, il aurait assommé du premier coup le gentil Avenant, sans qu'un corbeau vînt se mettre sur le haut de sa tête, et avec son bec il lui donna si juste dans les yeux, qu'il 305 les creva ; le sang coulait sur son visage, il était comme un désespéré, frappant de tous côtés. Avenant l'évitait, et lui portait de grands coups d'épée qu'il enfonçait jusqu'à la garde[2], et qui lui faisaient mille blessures, par où il perdit tant de sang, qu'il tomba. Aussitôt Avenant lui coupa la tête, bien ravi d'avoir été

---

1. Gourdin.
2. Jusqu'à la poignée.

310 si heureux ; et le corbeau, qui s'était perché sur un arbre, lui dit :
Je n'ai pas oublié le service que vous me rendîtes en tuant l'aigle
qui me poursuivait ; je vous promis de m'en acquitter[1], je crois
l'avoir fait aujourd'hui. C'est moi qui vous dois tout, Monsieur
du Corbeau, répliqua Avenant, je demeure votre serviteur. Il
315 monta aussitôt à cheval, chargé de l'épouvantable tête de
Galifron.

Quand il arriva dans la ville, tout le monde le suivait, et
criait : Voici le brave Avenant, qui vient de tuer le monstre, de
sorte que la princesse, qui entendit bien du bruit, et qui trem-
320 blait qu'on ne lui vînt apprendre la mort d'Avenant, n'osait
demander ce qui lui était arrivé ; mais elle vit entrer Avenant
avec la tête du géant, qui ne laissa pas de lui faire encore peur,
bien qu'il n'y eût plus rien à craindre. Madame, lui dit-il, votre
ennemi est mort, j'espère que vous ne refuserez plus le roi mon
325 maître. Ah ! si fait, dit la Belle aux Cheveux d'Or, je le refuse-
rai, si vous ne trouvez moyen, avant mon départ, de m'apporter de l'eau de la grotte ténébreuse[2].

Il y a proche d'ici une grotte profonde qui a bien six lieues
de tour ; on trouve à l'entrée deux dragons qui empêchent
330 qu'on n'y entre, ils ont du feu dans la gueule et dans les yeux ;
puis, lorsqu'on est dans la grotte, on trouve un grand trou dans
lequel il faut descendre : il est plein de crapauds, de couleuvres
et de serpents. Au fond de ce trou, il y a une petite cave où

---

1. Rendre la pareille.
2. Très obscure.

coule la fontaine de beauté et de santé : c'est de cette eau que je
335 veux absolument. Tout ce qu'on en lave devient merveilleux ; si
l'on est belle, on demeure toujours belle ; si l'on est laide, on
devient belle ; si l'on est jeune, on reste jeune ; si l'on est vieille,
on devient jeune. Vous jugez bien, Avenant, que je ne quitterai
pas mon royaume sans en emporter.

340   Madame, lui dit-il, vous êtes si belle, que cette eau vous est
bien inutile ; mais je suis un malheureux ambassadeur dont
vous voulez la mort : je vais vous aller chercher ce que vous
désirez, avec la certitude de n'en pouvoir revenir.

La Belle aux Cheveux d'Or ne changea point de dessein, et
345 Avenant partit avec le petit chien Cabriolle, pour aller à la
grotte ténébreuse chercher de l'eau de beauté. Tous ceux qu'il
rencontrait sur le chemin disaient : C'est une pitié de voir un
garçon si aimable s'aller perdre de gaieté de cœur ; il va seul à la
grotte, et, quand il irait lui centième, il n'en pourrait venir à
350 bout. Pourquoi la princesse ne veut-elle que des choses impossibles ? Il continuait de marcher, et ne disait pas un mot ; mais
il était bien triste.

Il arriva vers le haut d'une montagne, où il s'assit pour se reposer un peu, et il laissa paître[1] son cheval et courir Cabriolle après
355 des mouches ; il savait que la grotte ténébreuse n'était pas loin de
là, il regardait s'il ne la verrait point ; enfin il aperçut un vilain
rocher noir comme de l'encre, d'où sortait une grosse fumée, et
au bout d'un moment un des dragons qui jetait du feu par les

---

1. Brouter.

yeux et par la gueule : il avait le corps jaune et vert, des griffes et
360 une longue queue qui faisait plus de cent tours : Cabriolle vit
tout cela, il ne savait où se cacher, tant il avait de peur.

Avenant, tout résolu de mourir, tira son épée, et descendit
avec une fiole[1] que la Belle aux Cheveux d'Or lui avait donnée
pour la remplir de l'eau de beauté. Il dit à son petit chien
365 Cabriolle : C'est fait de moi ! je ne pourrai jamais avoir de cette
eau qui est gardée par les dragons ; quand je serai mort, rem-
plis la fiole de mon sang, et la porte à la princesse, pour qu'elle
voie ce qu'elle me coûte ; et puis va trouver le roi mon maître,
et lui conte mon malheur. Comme il parlait ainsi, il entendit
370 qu'on l'appelait, Avenant, Avenant ! Il dit : Qui m'appelle ? et
il vit un hibou dans le trou d'un vieux arbre, qui lui dit : Vous
m'avez retiré du filet des chasseurs où j'étais pris, et vous me
sauvâtes la vie ; je vous promis que je vous le revaudrais, en
voici le temps. Donnez-moi votre fiole ; je sais tous les che-
375 mins de la grotte ténébreuse, je vais vous quérir l'eau de
beauté. Dame, qui fut bien aise ? je vous le laisse à penser.
Avenant lui donna vite sa fiole, et le hibou entra sans nul
empêchement dans la grotte. En moins d'un quart d'heure, il
revint rapporter la bouteille bien bouchée. Avenant fut ravi, il
380 le remercia de tout son cœur ; et remontant la montagne, il
prit le chemin de la ville bien joyeux.

Il alla droit au palais, il présenta la fiole à la Belle aux
Cheveux d'Or, qui n'eut plus rien à dire : elle remercia Avenant,

---

1. Flacon.

et donna ordre à tout ce qu'il lui fallait pour partir ; puis elle se
385 mit en voyage avec lui. Elle le trouvait bien aimable, et elle lui
disait quelquefois : Si vous aviez voulu, je vous aurais fait roi ;
nous ne serions point partis de mon royaume. Mais il répondait : Je ne voudrais pas faire un si grand déplaisir à mon maître
pour tous les royaumes de la terre, quoique je vous trouve plus
390 belle que le soleil.

Enfin, ils arrivèrent à la grande ville du roi, qui, sachant que
la Belle aux Cheveux d'Or venait, alla au-devant d'elle, et lui fit
les plus beaux présents du monde. Il l'épousa avec tant de
réjouissances que l'on ne parlait d'autre chose ; mais la Belle aux
395 Cheveux d'Or qui aimait Avenant dans le fond de son cœur,
n'était bien aise que quand elle le voyait, et elle le louait toujours : Je ne serais point venue sans Avenant, disait-elle au roi ;
il a fallu qu'il ait fait des choses impossibles pour mon service :
vous lui devez être obligé ; il m'a donné de l'eau de beauté, je
400 ne vieillirai jamais ; je serai toujours belle.

Les envieux qui écoutaient la reine dirent au roi : Vous n'êtes
point jaloux, et vous avez sujet de l'être ; la reine aime si fort
Avenant qu'elle en perd le boire et le manger : elle ne fait que
parler de lui et des obligations[1] que vous lui avez, comme si tel
405 autre que vous auriez envoyé n'en eût pas fait autant. Le roi dit :
Vraiment, je m'en avise ; qu'on aille le mettre dans la tour avec
les fers[2] aux pieds et aux mains. L'on prit Avenant ; et, pour sa

---

1. De la reconnaissance.
2. Chaînes.

récompense d'avoir si bien servi le roi on l'enferma dans la tour avec les fers aux pieds et aux mains. Il ne voyait personne que le geôlier, qui lui jetait un morceau de pain noir par un trou, et de l'eau dans une écuelle de terre ; pourtant son petit chien Cabriolle ne le quittait point, il le consolait, et venait lui dire toutes les nouvelles.

Quand la Belle aux Cheveux d'Or sut sa disgrâce, elle se jeta aux pieds du roi, et, tout en pleurs, elle le pria de faire sortir Avenant de prison. Mais plus elle le priait, plus il se fâchait ; songeant, c'est qu'elle l'aime, et il n'en voulut rien faire ; elle n'en parla plus : elle était bien triste.

Le roi s'avisa qu'elle ne le trouvait peut-être pas assez beau ; il eut envie de se frotter le visage avec de l'eau de beauté, afin que la reine l'aimât plus qu'elle ne faisait. Cette eau était dans la fiole sur le bord de la cheminée de la chambre de la reine : elle l'avait mise là pour la regarder plus souvent ; mais une de ses femmes de chambre, voulant tuer une araignée avec un balai, jeta par malheur la fiole par terre, qui se cassa, et toute l'eau fut perdue. Elle balaya vitement, et ne sachant que faire, elle se souvint qu'elle avait vu dans le cabinet du roi une fiole toute semblable, pleine d'eau claire comme était l'eau de beauté ; elle la prit adroitement sans rien dire, et la porta sur la cheminée de la reine.

L'eau qui était dans le cabinet du roi servait à faire mourir les princes et les grands seigneurs quand ils étaient criminels ; au lieu de leur couper la tête ou de les pendre, on leur frottait le visage de cette eau, ils s'endormaient et ne se réveillaient plus.

435 Un soir donc le roi prit la fiole et se frotta bien le visage ; puis il s'endormit et mourut. Le petit chien Cabriolle l'apprit des premiers, et ne manqua pas de l'aller dire à Avenant, qui lui dit d'aller trouver la Belle aux Cheveux d'Or et de la faire souvenir du pauvre prisonnier.

440 Cabriolle se glissa doucement dans la presse, car il y avait grand bruit à la cour pour la mort du roi. Il dit à la reine : Madame, n'oubliez pas le pauvre Avenant. Elle se souvint aussitôt des peines qu'il avait souffertes à cause d'elle et de sa grande fidélité : elle sortit sans parler à personne, et fut droit à 445 la tour, où elle ôta elle-même les fers des pieds et des mains d'Avenant ; et lui mettant une couronne d'or sur la tête, et le manteau royal sur les épaules, elle lui dit : Venez, aimable Avenant, je vous fais roi, et vous prends pour mon époux. Il se jeta à ses pieds et la remercia. Chacun fut ravi de l'avoir pour 450 maître ; il se fit la plus belle noce du monde, et la Belle aux Cheveux d'Or vécut longtemps avec le bel Avenant, tous deux heureux et satisfaits.

Si par hasard un malheureux
Te demande ton assistance[1],
455 Ne lui refuse point un secours généreux :
Un bienfait tôt ou tard reçoit sa récompense.
Quand Avenant, avec tant de bonté,
Servait carpe et corbeau ; quand jusqu'au hibou même,

1. Aide.

Sans être rebuté de sa laideur extrême,
460   Il conservait la liberté ;
Aurait-on pu jamais le croire,
Que ces animaux quelque jour
Le conduiraient au comble de la gloire
Lorsqu'il voudrait du roi servir le tendre amour ?
465   Malgré tous les attraits d'une beauté charmante,
Qui commençait pour lui de sentir des désirs,
Il conserve à son maître, étouffant ses soupirs,
Une fidélité constante.
Toutefois, sans raison, il se voit accusé :
470   Mais quand à son bonheur il paraît plus d'obstacle,
Le Ciel lui devait un miracle,
Qu'à la vertu jamais le Ciel n'a refusé.

BIEN LIRE

- **Sur quelles qualités des deux personnages insiste-t-on ? Sont-elles suffisantes ?**
- **Quel rôle tient le petit chien dans le conte ?**
- **Pourquoi peut-on parler de caprice en ce qui concerne les exigences de la princesse ?**
- **La princesse est-elle contente de partir chez le roi ?**
- **Qui va sauver Avenant dans la dernière épreuve ?**

Les Mille et Une Nuits
Contes

Premier voyage de Sindbad le Marin
(traduction d'Antoine Galland)
Troisième voyage de Sindbad le Marin
(traduction de Joseph Charles Mardrus)

Premier voyage de Sindbad le Marin

« J'avais hérité de ma famille des biens considérables, j'en dis-
sipai[1] la meilleure partie dans les débauches[2] de ma jeunesse ;
mais je revins de mon aveuglement, et, rentrant en moi-même,
je reconnus que les richesses étaient périssables[3], et qu'on en
5 voyait bientôt la fin quand on les ménageait[4] aussi mal que je
faisais. Je pensai, de plus, que je consumais[5] malheureusement
dans une vie déréglée le temps, qui est la chose du monde la
plus précieuse. Je considérai encore que c'était la dernière et la
plus déplorable[6] de toutes les misères que d'être pauvre dans la
10 vieillesse. Je me souvins de ces paroles du grand Salomon, que
j'avais autrefois ouï dire à mon père, qu'*il est moins fâcheux
d'être dans le tombeau que dans la pauvreté.*

« Frappé de toutes ces réflexions, je ramassai les débris[7] de
mon patrimoine. Je vendis à l'encan[8] en plein marché tout ce
15 que j'avais de meubles. Je me liai ensuite avec quelques marchands qui négociaient[9] par mer. Je consultai ceux qui me parurent capables de me donner de bons conseils. Enfin, je résolus
de faire profiter le peu d'argent qui me restait, et, dès que j'eus

---

1. Dépensai.
2. Abus.
3. Que l'on peut perdre.
4. Économisait.
5. Perdais.
6. Lamentable.
7. Restes.
8. Aux enchères.
9. Faisaient du commerce.

pris cette résolution, je ne tardai guère à l'exécuter. Je me rendis
à Balsora, où je m'embarquai avec plusieurs marchands sur un
vaisseau que nous avions équipé à frais communs.

« Nous mîmes à la voile, et prîmes la route des Indes orien-
tales par le golfe Persique, qui est formé par les côtes de
l'Arabie Heureuse à la droite, et par celles de la Perse à la
gauche, et dont la plus grande largeur est de soixante et dix
lieues, selon la commune opinion. Hors de ce golfe, la mer du
Levant, la même que celle des Indes, est très spacieuse[1] : elle a
d'un côté pour bornes[2] les côtes d'Abyssinie et quatre mille
cinq cents lieues de longueur jusqu'aux îles de Vakvak. Je fus
d'abord incommodé[3] de ce qu'on appelle le mal de mer ; mais
ma santé se rétablit bientôt, et depuis ce temps-là je n'ai point
été sujet à cette maladie.

« Dans le cours de notre navigation, nous abordâmes à plusieurs îles et nous y vendîmes ou échangeâmes nos marchandises. Un jour que nous étions à la voile, le calme nous prit vis-
à-vis une petite île presque à fleur d'eau[4], qui ressemblait à une
prairie par sa verdure. Le capitaine fit plier les voiles, et permit
de prendre terre aux personnes de l'équipage qui voulurent y
descendre. Je fus du nombre de ceux qui y débarquèrent. Mais,
dans le temps que nous nous divertissions à boire et à manger,
et à nous délasser de la fatigue de la mer, l'île trembla tout à
coup, et nous donna une rude secousse... »

---

1. Grande, étendue.
2. Limites.
3. Gêné.
4. À la surface de l'eau.

[...]

Sire, Sindbad, poursuivant son histoire : « On s'aperçut, dit-
il, du tremblement de l'île dans le vaisseau, d'où l'on nous cria
de nous rembarquer promptement[1] ; que nous allions tous
périr ; que ce que nous prenions pour une île était le dos d'une
baleine. Les plus diligents[2] se sauvèrent dans la chaloupe,
d'autres se jetèrent à la nage. Pour moi, j'étais encore sur l'île,
ou plutôt sur la baleine, lorsqu'elle se plongea dans la mer, et
je n'eus que le temps de me prendre à une pièce de bois qu'on
avait apportée du vaisseau pour faire du feu. Cependant, le
capitaine, après avoir reçu sur son bord les gens qui étaient
dans la chaloupe[3] et recueilli quelques-uns de ceux qui
nageaient, voulut profiter d'un vent frais et favorable qui
s'était levé ; il fit hausser les voiles, et m'ôta par là l'espérance
de gagner le vaisseau.

« Je demeurai donc à la merci des flots, poussé tantôt d'un
côté et tantôt d'un autre ; je disputai contre eux ma vie tout le
reste du jour et de la nuit suivante. Je n'avais plus de force le
lendemain, et je désespérais d'éviter la mort, lorsqu'une vague
me jeta heureusement contre une île. Le rivage en était haut et
escarpé[4], et j'aurais eu beaucoup de peine à y monter, si
quelques racines d'arbres que la fortune[5] semblait avoir conser-

---

1. Rapidement.
2. Rapides.
3. Barque.
4. Abrupt.
5. Hasard.

65 vées en cet endroit pour mon salut ne m'en eussent donné le
moyen. Je m'étendis sur la terre, où je demeurai à demi mort,
jusqu'à ce qu'il fît grand jour et que le soleil parut.

« Alors, quoique je fusse très faible à cause du travail de la
mer[1], et parce que je n'avais pris aucune nourriture depuis le
70 jour précédent, je ne laissai pas de me traîner en cherchant des
herbes bonnes à manger. J'en trouvai quelques-unes, et j'eus le
bonheur de rencontrer une source d'eau excellente, qui ne
contribua pas peu[2] à me rétablir. Les forces m'étant revenues, je
m'avançai dans l'île, marchant sans tenir de route assurée.
75 J'entrai dans une belle plaine, où j'aperçus de loin un cheval qui
paissait. Je portai mes pas de ce côté-là, flottant entre la crainte
et la joie : car j'ignorais si je n'allais pas chercher ma perte plutôt qu'une occasion de mettre ma vie en sûreté. Je remarquai,
en approchant, que c'était une cavale[3] attachée à un piquet. Sa
80 beauté attira mon attention ; mais, pendant que je la regardais,
j'entendis la voix d'un homme qui parlait sous terre. Un
moment ensuite, cet homme parut, vint à moi, et me demanda
qui j'étais. Je lui racontai mon aventure ; après quoi, me prenant par la main, il me fit entrer dans une grotte, où il y avait
85 d'autres personnes qui ne furent pas moins étonnées de me voir
que je l'étais de les trouver là.

« Je mangeai de quelques mets[4] qu'ils me présentèrent ; puis,

---

1. Fatigues et tourments de la mer.
2. Qui permit en grande partie.
3. Cheval, jument.
4. Plats.

leur ayant demandé ce qu'ils faisaient dans un lieu qui me paraissait si désert, ils me répondirent qu'ils étaient palefre-
90 niers du roi Mihrage, souverain de cette île ; que chaque année, dans la même saison, ils avaient coutume d'y amener les cavales du roi, qu'ils attachaient de la manière que je l'avais vu, pour les faire couvrir[1] par un cheval marin qui sortait de la mer ; que le cheval marin, après les avoir couvertes, se mettait
95 en état de les dévorer ; mais qu'ils l'en empêchaient par leurs cris, et l'obligeaient à rentrer dans la mer ; que, les cavales étant pleines, ils les remenaient, et que les chevaux qui en naissaient étaient destinés pour le roi et appelés chevaux marins. Ils ajou-tèrent qu'ils devaient partir le lendemain, et que, si je fusse
100 arrivé un jour plus tard, j'aurais péri infailliblement[2], parce que les habitations étaient éloignées et qu'il m'eût été impos-sible d'y arriver sans guide.

« Tandis qu'ils m'entretenaient[3] ainsi, le cheval marin sortit de la mer comme ils me l'avaient dit, se jeta sur la cavale, la cou-
105 vrit et voulut ensuite la dévorer ; mais, au grand bruit que firent les palefreniers, il lâcha prise et alla se replonger dans la mer.

« Le lendemain, ils reprirent le chemin de la capitale de l'île avec les cavales, et je les accompagnai. À notre arrivée, le roi Mihrage, à qui je fus présenté, me demanda qui j'étais et par
110 quelle aventure je me trouvais dans ses États. Dès que j'eus plei-nement satisfait sa curiosité, il me témoigna qu'il prenait beau-

---

1. Féconder.
2. Inévitablement.
3. Me parlaient.

coup de part à mon malheur. En même temps, il ordonna qu'on eût soin de moi et que l'on me fournît toutes les choses dont j'aurais besoin. Cela fut exécuté de manière que j'eus sujet
115 de me louer de sa générosité et de l'exactitude[1] de ses officiers.

« Comme j'étais marchand, je fréquentai les gens de ma profession. Je recherchais particulièrement ceux qui étaient étrangers, tant pour apprendre d'eux des nouvelles de Bagdad que pour en trouver quelqu'un avec qui je pusse y retourner : car la
120 capitale du roi Mihrage est située sur le bord de la mer, et a un beau port où il aborde tous les jours des vaisseaux de différents endroits du monde. Je cherchais aussi la compagnie des savants des Indes, et je prenais plaisir à les entendre parler ; mais cela ne m'empêchait pas de faire ma cour au roi très régulièrement, ni
125 de m'entretenir avec des gouverneurs et de petits rois, ses tributaires[2], qui étaient auprès de sa personne. Ils me faisaient mille questions sur mon pays ; et, de mon côté, voulant m'instruire des mœurs[3] ou des lois de leurs États, je leur demandais tout ce qui me semblait mériter ma curiosité.

130 « Il y a sous la domination du roi Mihrage une île qui porte le nom de Cassel. On m'avait assuré qu'on y entendait toutes les nuits un son de timbales[4] ; ce qui a donné lieu à l'opinion qu'ont les matelots que Deggial[5] y fait sa demeure. Il me prit envie d'être témoin de cette merveille, et je vis dans mon

---

1. Honnêteté.
2. Personnes qui lui doivent quelque chose, qui lui sont soumis.
3. Habitudes de vie.
4. Sorte de tambour.
5. Personnage légendaire ; sorte d'antéchrist qui viendra conquérir la Terre à la fin du monde.

135 voyage des poissons longs de cent et de deux cents coudées[1],
qui font plus de peur que de mal. Ils sont si timides qu'on les
fait fuir en frappant sur des ais[2]. Je remarquai d'autres poissons
qui n'étaient que d'une coudée, et qui ressemblaient par la tête
à des hiboux.

140   « À mon retour, comme j'étais un jour sur le port, un navire
y vint aborder. Dès qu'il fut à l'ancre, on commença de déchar-
ger les marchandises ; et les marchands à qui elles appartenaient
les faisaient transporter dans des magasins. En jetant les yeux
sur quelques ballots[3] et sur l'écriture qui marquait à qui ils
145 étaient, je vis mon nom dessus, et, après les avoir attentivement
examinés, je ne doutai pas que ce ne fussent ceux que j'avais fait
charger sur le vaisseau où je m'étais embarqué à Balsora. Je
reconnus même le capitaine ; mais, comme j'étais persuadé
qu'il me croyait mort, je l'abordai[4] et lui demandai à qui appar-
150 tenaient les ballots que je voyais. « J'avais sur mon bord, me
répondit-il, un marchand de Bagdad, qui se nommait Sindbad.
Un jour que nous étions près d'une île, à ce qu'il nous paraissait, il mit pied à terre avec plusieurs passagers dans cette île
prétendue, qui n'était autre chose qu'une baleine d'une grosseur
155 énorme, qui s'était endormie à fleur d'eau. Elle ne se sentit pas
plus tôt échauffée par le feu qu'on avait allumé sur son dos pour
faire la cuisine qu'elle commença de se mouvoir[5] et de s'enfon-

---

1. Mesure de longueur.
2. Planches de bois.
3. Paquets.
4. M'adressai à lui.
5. Bouger.

cer dans la mer. La plupart des personnes qui étaient dessus se
noyèrent, et le malheureux Sindbad fut de ce nombre. Ces bal-
160 lots étaient à lui, et j'ai résolu de les négocier[1] jusqu'à ce que je
rencontre quelqu'un de sa famille à qui je puisse rendre le profit[2] que j'aurai fait avec le principal[3]. – Capitaine, lui dis-je
alors, je suis ce Sindbad que vous croyez mort, et qui ne l'est
pas : ces ballots sont mon bien et ma marchandise... »

165   « Quand le capitaine du vaisseau m'entendit parler ainsi :
« Grand Dieu ! s'écria-t-il, à qui se fier aujourd'hui ? Il n'y a
plus de bonne foi parmi les hommes. J'ai vu de mes propres
yeux périr Sindbad ; les passagers qui étaient sur mon bord
l'ont vu comme moi, et vous osez dire que vous êtes ce
170 Sindbad ? Quelle audace[4] ! À vous voir, il semble que vous
soyez un homme de probité[5] ; cependant vous dites une horrible fausseté pour vous emparer d'un bien qui ne vous appartient pas. – Donnez-vous patience, repartis-je au capitaine, et
me faites la grâce d'écouter ce que j'ai à vous dire. – Hé bien !
175 reprit-il, que direz-vous ? Parlez, je vous écoute. » Je lui racontai alors de quelle manière je m'étais sauvé, et par quelle aventure j'avais rencontré les palefreniers du roi Mihrage, qui
m'avaient amené à sa cour.

      « Il se sentit ébranlé de mon discours ; mais il fut bientôt per-

---

1. Vendre et acheter.
2. Bénéfice.
3. Capital.
4. Effronterie.
5. Honnêteté.

180 suadé que je n'étais pas un imposteur[1] : car il arriva des gens de
son navire qui me reconnurent et me firent de grands compliments, en me témoignant la joie qu'ils avaient de me revoir.
Enfin, il me reconnut aussi lui-même, et, se jetant à mon cou :
« Dieu soit loué, me dit-il, de ce que vous êtes heureusement
185 échappé d'un si grand danger ! je ne puis assez vous marquer le
plaisir que j'en ressens. Voilà votre bien, prenez-le, il est à vous ;
faites-en ce qu'il vous plaira. » Je le remerciai, je louai sa probité,
et, pour la reconnaître, je le priai d'accepter quelques marchandises que je lui présentai ; mais il les refusa.

190 « Je choisis ce qu'il y avait de plus précieux dans mes ballots,
et j'en fis présent au roi Mihrage. Comme ce prince savait la
disgrâce[2] qui m'était arrivée, il me demanda où j'avais pris des
choses si rares. Je lui contai par quel hasard je venais de les
recouvrer[3] ; il eut la bonté de m'en témoigner de la joie ; il
195 accepta mon présent et m'en fit de beaucoup plus considérables. Après cela, je pris congé de lui et me rembarquai sur le
même vaisseau. Mais, avant mon embarquement, j'échangeai
les marchandises qui me restaient contre d'autres du pays.
J'emportai avec moi du bois d'aloès[4], du sandal[5], du camphre[6],
200 de la muscade, du clou de girofle, du poivre et du gingembre.
Nous passâmes par plusieurs îles, et nous abordâmes enfin à

---

1. Quelqu'un qui se fait passer pour un autre.
2. Malheur.
3. Retrouver.
4. Bois fourni par un arbre appelé *aquilaria*.
5. Santal, bois parfumé dont on tire une essence qui sert en pharmacie.
6. Bois du camphrier.

Balsora, d'où j'arrivai en cette ville avec la valeur d'environ cent mille sequins[1]. Ma famille me reçut, et je la revis avec tous les transports que peut causer une amitié vive et sincère. J'achetai
205 des esclaves de l'un et de l'autre sexe, de belles terres, et je fis une grosse maison. Ce fut ainsi que je m'établis, résolu d'oublier les maux que j'avais soufferts et de jouir des plaisirs de la vie. »

1. Monnaie d'or ancienne qui avait cours dans le Levant.

BIEN LIRE

• **Pourquoi Sindbad décide-t-il de partir ?**
• **Quel mot indique que l'on va entrer dans l'histoire ?**
• **Pourquoi Sindbad est-il abandonné ?**
• **En quoi est-ce une grande chance pour Sindbad d'avoir rencontré les palefreniers du roi Mihrage ?**
• **Comment Sindbad se fait-il reconnaître ?**

Troisième voyage de Sindbad le Marin

Sachez, ô mes amis – mais Allah sait les choses mieux que la créature ! –, que dans la délicieuse vie que je menais depuis mon retour du second voyage, au milieu des richesses et de l'épanouissement, je finis par perdre complètement le souvenir des
5 maux éprouvés et des dangers courus, et par m'ennuyer de l'oisiveté[1] monotone[2] de mon existence à Bagdad. Aussi mon âme désira-t-elle avec ardeur le changement et la vue des choses du voyage. Et moi-même je fus de nouveau tenté par l'amour du commerce, du gain et du profit. Or, c'est toujours l'ambition
10 qui est la cause de nos malheurs. Je devais bientôt en faire l'expérience de la façon la plus effroyable.

Je mis donc mon projet immédiatement à exécution, et, après m'être muni de riches marchandises du pays, je partis de Bagdad pour Bassra. Là je découvris un grand navire déjà rem-
15 pli de passagers et de marchands qui étaient tous des gens de bien, honnêtes, au cœur bon, pleins de conscience, et capables de rendre service et de vivre entre eux dans les meilleurs rapports. Aussi je n'hésitai pas à m'embarquer avec eux sur ce navire ; et, aussitôt à bord, nous mîmes à la voile, avec la béné-
20 diction d'Allah sur nous et sur notre traversée.

Notre navigation commença, en effet, sous d'heureux auspices[3]. Dans tous les endroits où nous abordions, nous faisions

---

1. Paresse.
2. Toujours identique, ennuyeuse.
3. Présages.

d'excellentes affaires, tout en nous promenant et en nous instruisant de toutes les nouvelles choses que sans cesse nous
25 voyions. Et vraiment rien ne manquait à notre bonheur, et nous étions à la limite de la dilatation et de l'épanouissement.

Un jour d'entre les jours, nous étions en pleine mer, bien loin des pays musulmans, quand soudain nous vîmes le capitaine du navire se donner de grands coups au visage, après avoir
30 longtemps scruté[1] l'horizon, s'arracher les poils de la barbe, déchirer ses habits et jeter à terre son turban. Puis il se mit à se lamenter, à gémir et à pousser des cris de désespoir. À cette vue, nous entourâmes tous le capitaine et nous lui dîmes : « Qu'y a-t-il donc, ô capitaine ? » Il répondit : « Sachez, ô passagers de
35 paix, que le vent contraire nous a vaincus et nous a fait dévier de notre route pour nous jeter dans cette mer sinistre. Et, pour mettre la dernière mesure à notre malchance, le destin nous fait aborder à cette île que vous voyez devant vous et dont jamais personne, après y avoir touché, n'a pu se tirer avec la vie sauve.
40 Cette île est l'île des Singes ! Je sens bien, dans le profond de mon intérieur, que nous sommes tous perdus sans recours ! »

Le capitaine n'avait pas encore fini ces explications que nous vîmes notre navire entouré par une multitude d'êtres velus comme des singes, plus innombrables qu'une armée de saute-
45 relles, tandis que, sur le rivage de l'île, d'autres singes, en quantité inimaginable, poussaient des hurlements qui nous glacèrent sur place. Et nous, nous n'osâmes guère maltraiter, attaquer ou

---

1. Regardé avec attention.

même chasser aucun d'entre eux, de peur qu'ils ne se ruassent[1]
tous sur nous et, grâce à leur nombre, ne nous tuassent jusqu'au
50 dernier : Car il est bien certain que le nombre vient toujours à
bout du courage. Nous ne voulûmes donc faire aucun mouvement, alors que de tous côtés nous étions envahis par ces singes
qui commençaient à faire main basse[2] sur tout ce qui nous
appartenait. Ils étaient bien laids. Ils étaient même plus laids
55 que tout ce que j'avais vu de laid jusqu'à ce jour de ma vie. Ils
étaient poilus et velus, avec des yeux jaunes dans des faces
noires ; leur taille était toute petite, à peine longue de quatre
empans[3], et leurs grimaces et leurs cris plus horribles que tout
ce que l'on pourrait inventer dans ce sens-là ! Quant à leur lan-
60 gage, ils avaient beau nous parler et nous invectiver[4] en cla-
quant des mâchoires, nous ne parvenions guère à le comprendre, bien que nous y prêtassions la meilleure attention.
Aussi nous les vîmes bientôt mettre à exécution le plus funeste[5]
des projets. Ils grimpèrent aux mâts, déplièrent les voiles, cou-
65 pèrent tous les cordages avec leur dent, et finirent par s'emparer du gouvernail. Alors le navire, poussé par le vent, alla à la
côte, où il s'ensabla. Et les petits singes s'emparèrent de nous
tous, nous firent débarquer l'un après l'autre, nous laissèrent
sur le rivage et, sans plus s'occuper de nous, remontèrent sur le

---

1. Se jetassent.
2. Voler.
3. Mesure de longueur qui correspond à l'espace entre l'extrémité du pouce et celle du petit doigt
quand la main est ouverte au maximum.
4. Insulter.
5. Qui annonce la mort.

70 navire qu'ils réussirent à pousser au large, et disparurent tous avec lui sur la mer.

Alors nous, à la limite de la perplexité[1], nous jugeâmes inutile de rester ainsi sur le rivage à regarder la mer, et nous nous avançâmes dans l'île où nous finîmes par découvrir
75 quelques arbres fruitiers et de l'eau courante : ce qui nous permit de nous restaurer un peu pour retarder le plus longtemps possible une mort qui nous paraissait à tous certaine.

Pendant que nous étions en cet état, il nous sembla voir, entre les arbres, un édifice[2] très grand qui avait l'air aban-
80 donné. Nous fûmes tentés de nous en approcher ; et quand nous y arrivâmes...

... Nous vîmes que c'était un palais fort élevé de forme carrée, entouré de solides murailles, et qui avait une grande porte d'ébène à deux battants. Comme cette porte était ouverte et
85 qu'elle n'était gardée par aucun portier, nous la franchîmes et nous pénétrâmes de plain-pied[3] dans une immense salle aussi vaste qu'une cour. Cette salle avait pour tous meubles d'énormes ustensiles de cuisine et des broches d'une longueur démesurée ; le sol avait, pour tous tapis, des monceaux[4] d'osse-
90 ments, les uns déjà blanchis, d'autres frais encore. Aussi, là-dedans régnait une odeur qui offusqua[5] à l'extrême nos narines.

---

1. Hésitation.
2. Bâtiment.
3. Au même niveau que le sol.
4. Amas.
5. Choqua.

Mais comme nous étions exténués[1] de fatigue et de peur, nous nous laissâmes choir[2] tout de notre long et nous nous endormîmes profondément.

95 Le soleil était déjà couché quand un bruit de tonnerre nous fit sursauter et du coup nous réveilla ; et, devant nous, nous vîmes descendre du plafond un être à figure d'homme noir, de la hauteur d'un palmier, qui était plus horrible à voir que tous les singes noirs réunis. Il avait des yeux rouges comme deux tisons[3] enflam-
100 més, les dents de devant longues et saillantes comme les défenses d'un cochon, une bouche énorme aussi vaste que l'orifice[4] d'un puits, des lèvres pendantes sur la poitrine, des oreilles sursautantes commes les oreilles de l'éléphant et qui lui couvraient les épaules, et des ongles crochus comme les griffes du lion.

105 À cette vue, nous commençâmes d'abord par nous convulser[5] de terreur, puis nous devînmes rigides comme des morts. Mais lui vint s'asseoir sur un banc élevé adossé au mur et de là se mit à nous examiner en silence, un à un, de tous ses yeux. Après quoi, il s'avança sur nous, vint droit à moi, de préférence à tous
110 les autres marchands, étendit la main et me saisit par la peau de la nuque, comme on saisit un paquet de chiffons. Il me tourna alors et me retourna dans tous les sens, en me palpant comme fait un boucher pour une tête de mouton. Mais il dut certainement ne point me trouver à sa convenance, liquéfié que j'étais

---

1. Épuisés.
2. Tomber.
3. Charbon ou bois ardent.
4. Trou.
5. Trembler.

115 par la terreur, et la graisse de ma peau fondue par les fatigues du
voyage et le chagrin. Alors il me lâcha en me laissant rouler sur
le sol, et se saisit de mon plus proche voisin, et le mania comme
il m'avait manié, mais pour le rejeter ensuite et s'emparer du suivant. Il prit de la sorte tous les marchands, l'un après l'autre, et
120 arriva en dernier lieu au capitaine du navire.

Or, le capitaine était un homme gras et plein de chair, et
d'ailleurs il était le mieux portant et le plus solide de tous les
hommes du navire. Aussi le choix de l'effroyable géant n'hésita
pas à se fixer sur lui : il le prit entre ses doigts comme un bou-
125 cher aurait tenu un agneau, le jeta par terre, lui posa un pied
sur le cou et, d'un seul mouvement, lui cassa la nuque. Il se saisit alors d'une des immenses broches en question et la lui
enfonça dans la bouche en la faisant sortir par le fondement[1].
Alors il alluma un grand feu de bois dans le fourneau en terre
130 qui se trouvait sans la salle, plaça au milieu de la flamme le capitaine embroché, et se mit à le tourner lentement jusqu'à cuis-
son parfaite. Il le retira alors du feu et commença par le séparer
en morceaux comme on aurait fait d'un poulet, en se servant
pour cela de ses ongles. Cela fait, il avala le tout en un clin
135 d'œil. Après quoi il suça les os, les vida de leur moelle, et les jeta
au milieu des tas qui s'amoncelaient[2] dans la salle.

Ce repas achevé, l'effroyable géant alla s'étendre sur le banc,
pour digérer, et ne tarda pas à s'endormir en ronflant exacte-

---

1. Derrière.
2. S'entassaient.

ment comme un buffle que l'on aurait égorgé ou comme un
140 âne que l'on aurait excité à braire. Et il resta ainsi endormi jusqu'au matin. Nous le vîmes alors se lever et s'éloigner comme il
était venu, en nous laissant figés d'épouvante.

Lorsque nous fûmes certains qu'il avait disparu, nous sortîmes
du silence terifié que nous avions gardé toute la nuit, pour enfin
145 nous faire part les uns aux autres de nos réflexions, et pour san-
gloter et gémir en pensant au sort qui nous attendait.

Et nous nous disions tristement : « Que ne sommes-nous
morts noyés dans la mer ou mangés par les singes, plutôt que
d'être rôtis sur la braise[1] ! Par Allah ! c'est là une mort fort détes-
150 table ! Mais qu'y faire ! Ce que veut Allah doit courir[2] ! Il n'y a
de recours qu'en Allah le Tout-Puissant ! »

Nous sortîmes alors de cet édifice et nous rôdâmes toute la
journée par l'île, à la recherche de quelque cachette où nous
mettre à l'abri, mais vainement ; car cette île était plate, et ne
155 contenait ni cavernes ni quoi que ce fût qui nous permît de
nous soustraire aux recherches. Aussi, comme le soir tombait,
nous trouvâmes qu'il était encore plus prudent de regagner le
palais. Mais à peine y étions-nous arrivés que l'horrible homme
noir fit son apparition par un bruit de tonnerre et par l'enlève-
160 ment, après palpation et maniement, de l'un des marchands,
mes compagnons, qu'il se hâta d'embrocher, de rôtir et d'avaler
dans son ventre, pour ensuite s'étendre sur le banc et ronfler

1. Bois chauffé au rouge.
2. Être.

comme une brute égorgée, jusqu'au matin. Il se réveilla alors et
s'étira en grognant férocement, et s'en alla, sans plus s'occuper
165 de nous que s'il ne nous voyait pas.

Lorsqu'il fut parti, et comme nous avions eu le temps de
réfléchir sur notre triste situation, nous nous écriâmes tous à la
fois : « Allons nous jeter à la mer et mourir noyés, plutôt que de
finir rôtis et avalés. Car ce serait une mort bien affreuse ! »
170 Comme nous allions mettre ce projet à exécution, l'un de nous
se leva et dit : « Écoutez-moi, compagnons ! Ne pensez-vous pas
qu'il vaut peut-être mieux tuer l'homme noir avant qu'il ne
nous extermine ? » Alors moi, à mon tour, je levai le doigt et
dis : « Écoutez-moi, compagnons ! Au cas où vraiment vous
175 auriez résolu de tuer l'homme noir, il faudrait d'abord commencer par utiliser les pièces de bois dont le rivage est couvert
pour nous construire un radeau sur lequel nous puissions fuir
cette île maudite après avoir débarrassé la création de ce barbare
mangeur de musulmans ! Nous aborderions alors dans quelque
180 île où attendre la clémence du destin qui nous enverrait
quelque navire pour retourner à notre pays ! En tout cas, si le
radeau fait naufrage et que nous nous noyions, nous aurons
évité la rôtisserie et nous n'aurons pas commis une mauvaise
action en nous tuant volontairement.

185 ... Notre mort serait un martyre et compterait au jour de la
Rétribution ! » Alors tous les marchands s'écrièrent : « Par
Allah ! C'est là une idée excellente et une action raisonnable ! »
Aussitôt nous nous rendîmes sur le rivage et nous constrûi-

sîmes le radeau en question, sur lequel nous eûmes soin de mettre quelques provisions, telles que fruits et herbes bonnes à manger ; puis nous retournâmes au palais attendre en tremblant l'arrivée de l'homme noir.

Il vint, avec un coup de tonnerre ; et nous crûmes voir entrer quelque énorme chien enragé. Il nous fallut nous résoudre encore à voir, sans murmurer, embrocher et rôtir l'un de nos compagnons qui fut choisi pour sa graisse et son embonpoint[1], après palpation et maniement. Mais lorsque l'effroyable brute se fut endormie et eut commencé à ronfler en tonnerre, nous songeâmes à profiter de son sommeil pour le rendre inoffensif à jamais. Nous prîmes pour cela deux des immenses broches en fer, et nous les chauffâmes sur le feu jusqu'au rouge blanc ; puis nous les saisîmes fortement avec nos mains par le bout froid, et, comme elles étaient fort lourdes, nous nous mîmes à plusieurs pour porter chacune d'elles. Nous nous approchâmes alors doucement, et tous ensemble nous enfonçâmes les deux broches à la fois dans les deux yeux de l'horrible homme noir endormi, et nous pesâmes dessus de toutes nos forces, de façon qu'il fût définitivement aveuglé.

Il dut probablement ressentir une douleur extrême, car le cri qu'il lança fut si effroyable que du coup nous roulâmes sur le sol à une distance notoire. Et il bondit à l'aveuglette, et, étendant les mains dans le vide, il essaya, en hurlant et en courant de tous côtés, de se saisir de quelqu'un d'entre nous. Mais nous

---

1. Sa taille et son poids.

avions eu le temps de l'éviter et de nous jeter à plat ventre de
215 droite et de gauche de façon à ce qu'il ne rencontrât que le vide
chaque fois. Aussi, voyant qu'il ne pouvait réussir, il finit par se
diriger à tâtons vers la porte et sortit en poussant des cris épouvantables.

Alors nous, persuadés que le géant aveugle finirait par mourir
220 de son supplice, nous commençâmes à nous tranquilliser et,
d'un pas lent, nous nous dirigeâmes vers la mer. Nous arran-
geâmes un peu mieux le radeau, nous nous y embarquâmes,
nous le détachâmes du rivage et déjà nous allions ramer pour
nous éloigner, quand nous vîmes nous courir sus l'horrible géant
225 aveugle, guidé par une femelle géante encore plus horrible et
plus dégoûtante que lui. Arrivés sur le rivage, ils lancèrent des
cris effroyables en nous voyant nous éloigner ; puis ils se saisirent
chacun de quartiers de roche et se mirent à nous lapider[1] en les
lançant sur le radeau. Ils réussirent de la sorte à nous atteindre
230 et à noyer tous mes compagnons, à l'exception de deux. Quant
à nous trois, nous pûmes enfin nous éloigner hors de portée des
roches lancées. Nous arrivâmes bientôt au milieu de la mer où
nous fûmes saisis par le vent et poussés vers une île qui était dis-
tante de deux jours de celle où nous avions failli périr embrochés
235 et rôtis. Nous pûmes y trouver des fruits qui nous empêchèrent
de succomber[2] ; puis, comme la nuit était déjà avancée, nous
grimpâmes sur un grand arbre pour y passer la nuit.

Lorsqu'au matin nous nous réveillâmes, le premier objet qui

---

1. Tuer à coups de pierre.
2. Mourir.

se présenta devant nos yeux effarés fut un terrible serpent, aussi
240 gros que l'arbre sur lequel nous nous trouvions et qui dardait[1]
sur nous des yeux flamboyants en ouvrant une mâchoire large
comme un four. Et soudain il se détentit, et sa tête fut sur nous,
au sommet de l'arbre. Il saisit dans sa gueule l'un de mes deux
compagnons et l'avala jusqu'aux épaules, puis d'un second
245 mouvement de déglutition[2] il l'avala tout entier. Et aussitôt
nous entendîmes les os de l'infortuné craquer dans le ventre du
serpent qui descendit de l'arbre et nous laissa anéantis d'épouvante et de douleur. Et nous pensâmes : « Par Allah ! chaque
nouveau genre de mort est plus détestable que le premier. La
250 joie d'avoir échappé à la broche de l'homme noir se change
maintenant en un pressentiment pire encore que tout ce que
nous avons éprouvé ! Il n'y a de recours qu'en Allah ! »

Nous eûmes tout de même la force de descendre de l'arbre et
de cueillir quelques fruits que nous mangeâmes, et d'étancher
255 notre soif[3] à l'eau des ruisseaux. Après quoi, nous errâmes dans
l'île à la recherche de quelque abri plus sûr que celui de la pré-
cédente nuit, et nous finîmes par trouver un arbre d'une hauteur prodigieuse qui nous parut pouvoir nous protéger effica-
cement. Nous y grimpâmes à la tombée de la nuit et, nous y
260 étant installés le mieux que nous pûmes, nous commencions à
nous assoupir[4] quand un sifflement et un bruit de branches cas-
sées nous réveilla, et avant que nous eussions le temps de faire

---

1. Lançait.
2. Fait d'avaler.
3. Nous désaltérer.
4. Endormir.

un mouvement pour nous échapper, le serpent avait saisi mon compagnon, qui était perché plus bas que moi, et l'avait d'une
265 seule déglutition avalé aux trois quarts. Je le vis ensuite s'enrouler autour de l'arbre et faire craquer dans son ventre les os de mon dernier compagnon qu'il acheva d'avaler. Puis, me laissant mort d'épouvante, il se retira.

Moi, je continuai à rester immobile sur l'arbre jusqu'au
270 matin, et alors seulement je me décidai à en descendre. Mon premier mouvement fut d'aller me jeter à la mer pour en finir avec une vie misérable et pleine d'alarmes[1] plus terribles les unes que les autres ; mais je m'arrêtai en route, car mon âme n'y consentit pas, étant donné que l'âme est une chose précieuse ;
275 et même elle me suggéra une idée à laquelle je dus mon salut.

Je commençai par chercher du bois et, en ayant bientôt trouvé, je m'étendis par terre et je pris une grande planche que je fixai solidement dans toute sa longueur sur la plante de mes pieds ; j'en pris ensuite une seconde que j'attachai sur mon
280 flanc gauche, une autre sur mon flanc droit, une quatrième sur mon ventre, et une cinquième, plus large et plus longue que les précédentes, que je fixai sur ma tête. Je me trouvais de la sorte entouré d'une muraille de planches qui, dans tous les sens, opposait un obstacle à la queue du serpent. Cela fait, je restai
285 étendu sur le sol, et j'attendis là ce que me réservait le destin.

À la tombée de la nuit, le serpent ne manqua pas de venir.

---

1. Alertes.

Sitôt qu'il me vit, il fut sur moi et voulut m'avaler dans son ventre ; mais il en fut empêché par les planches. Il se mit alors à ramper et à tourner autour de moi pour essayer de me saisir
290 par un côté plus accessible, mais il ne put y réussir malgré tous ses efforts et bien qu'il me tiraillât dans tous les sens. Il passa ainsi toute la nuit à me faire souffrir, et moi, déjà je me croyais mort et je sentais sur ma figure son haleine puante. Il finit enfin par me laisser là, au lever du jour, et s'éloigna plein de fureur
295 contre moi et à la limite extrême de la rage et de la colère.

... Lorsque je me fus assuré qu'il s'était véritablement éloigné, j'étendis la main et me débarrassai des liens qui m'attachaient aux planches. Mais j'étais si mal en point que je ne pus d'abord mouvoir mes membres et que, pendant plusieurs heures de
300 temps, je désespérai de pouvoir en recouvrer jamais l'usage. Mais je finis tout de même par me mettre debout et peu à peu je pus marcher et rôder à travers l'île. Je me dirigeai vers la mer où, à peine arrivé, je découvris au loin un navire, toutes voiles dehors, qui filait à grande vitesse. À cette vue, je me mis à agi-
305 ter les bras et à crier comme un fou ; puis je dépliai la toile de mon turban et, l'ayant fixée à une branche d'arbre, je la levai au-dessus de ma tête et m'évertuai[1] à faire des signaux pour que l'on me remarquât du navire. Le destin voulut que mes efforts ne fussent pas inutiles. Bientôt, en effet, je vis le navire virer de

1. M'efforçai.

310 bord et se diriger du côté de la terre ; et, peu après, j'étais
recueilli par le capitaine et ses hommes.

Une fois à bord du navire, on commença par me donner des
vêtements et cacher ma nudité, vu que depuis le temps, j'avais
usé ceux dont j'étais couvert ; puis on m'offrit de manger un
315 morceau, ce que je fis de grand appétit, à cause de mes priva-
tions passées ; mais ce qui me ravit l'âme, ce fut surtout certaine
eau fraîche juste à point et vraiment délicieuse dont je bus jusqu'à satiété[1]. Aussi mon cœur se calma et mon âme se tran-
quillisa et je sentis le repos et le bien-être descendre enfin en
320 mon corps exténué.

Je recommençai donc à bien vivre après avoir vu la mort de
mes deux yeux, et je bénis Allah pour sa miséricorde et le
remerciai pour avoir interrompu mes tribulations[2]. De la sorte,
je ne tardai pas à me remettre complètement de mes émotions
325 et de mes fatigues, si bien que je ne fus pas loin de croire que
toutes ces calamités[3] ne m'étaient arrivées qu'en songe.

Notre navigation fut excellente et, avec la permission
d'Allah, le vent nous fut tout le temps favorable et nous fit heureusement aborder à une île nommée Salahata, où nous devions
330 faire escale et dans la rade de laquelle le capitaine fit jeter l'ancre
pour permettre aux marchands de débarquer et de vaquer à[4]
leurs affaires. Lorsque les passagers furent à terre, comme j'étais
le seul à rester à bord, faute de marchandises à vendre ou à

---

1. Autant que je le désire.
2. Épreuves.
3. Malheurs.
4. S'occuper de.

échanger, le capitaine s'approcha de moi et me dit : « Écoute ce
335 que j'ai à te dire ! Tu es un homme pauvre et étranger, et tu
nous as raconté combien tu as subi d'épreuves dans ta vie. Aussi
je veux maintenant t'être de quelque utilité et t'aider à retourner dans ton pays, afin que, quand tu penseras à moi, ce soit
avec plaisir et en appelant sur moi les bénédictions ! » Moi, je
340 répondis : « Certainement, ô capitaine ! je ne manquerai pas de
faire des vœux pour toi. » Il me dit : « Sache qu'il y a de cela
quelques années nous avions avec nous un voyageur qui s'est
perdu dans une île où nous avions fait escale. Et depuis lors
nous n'avons plus eu de ses nouvelles, et nous ne savons s'il est
345 mort ou s'il est encore en vie. Comme nous avons en dépôt
dans le navire les marchandises laissées par ce voyageur, j'ai eu
l'idée de te les confier pour que, moyennant un courtage[1] pré-
levé sur le gain, tu les vendes dans cette île et m'en rapportes le
prix afin qu'à mon retour à Bagdad je puisse le remettre à ses
350 parents ou le lui remettre à lui-même s'il a réussi à regagner sa
ville. » Et moi je répondis : « Je te dois l'ouïe et l'obéissance, ô
maître ! Et je te devrai vraiment beaucoup de gratitude pour ce
que tu veux me faire honnêtement gagner ! »

Alors le capitaine ordonna aux matelots de tirer les marchan-
355 dises de la cale[2] et de les porter sur le rivage, à mon intention.
Puis il appela l'écrivain du navire et lui dit de les compter et de
les inscrire, ballot par ballot. Et l'écrivain répondit : « À qui
appartiennent ces ballots, et au nom de qui dois-je les inscrire ? »

---

1. Commerce.
2. Partie du navire où l'on entrepose les marchandises.

Le capitaine répondit : « Le propriétaire de ces ballots s'appelait
360 Sindbad le Marin. Maintenant inscris-les au nom de ce pauvre
passager, et demande-lui son nom. » À ces paroles du capitaine,
je fus prodigieusement étonné et je m'écriai : « Mais c'est moi,
Sindbad le Marin ! » Et, ayant regardé attentivement le capitaine, je le reconnus pour celui qui, au commencement de mon
365 second voyage, m'avait oublié dans l'île où je m'étais endormi.

Aussi mon émotion fut-elle à ses limites extrêmes, à cette
découverte inattendue, et je continuai : « Ô capitaine, ne me
reconnais-tu donc pas ? C'est bien moi, Sindbad le Marin, natif
de[1] Bagdad ! Écoute mon histoire ! Rappelle-toi, ô capitaine,
370 que c'est bien moi qui étais descendu dans l'île, il y a tant d'années, et qui n'étais plus revenu. Je m'étais, en effet, endormi
près d'une source délicieuse, après avoir mangé un morceau, et
ne m'étais réveillé que pour voir le navire déjà éloigné sur la
mer. D'ailleurs, beaucoup de marchands de la montagne des
375 diamants m'ont vu et pourront témoigner que c'est bien moi
Sindbad le Marin ! »

Je n'avais pas encore fini de m'expliquer que l'un des marchands qui étaient remontés à bord prendre des marchandises
s'approcha de moi, me considéra attentivement, et, sitôt que
380 j'eus cessé de parler, frappa de surprise ses mains l'une contre
l'autre, et s'écria : « Par Allah ! ô vous tous, nous ne m'aviez pas
cru quand je vous avais raconté dans le temps l'étrange aven-

---

1. Né à.

ture qui m'était un jour arrivée dans la montagne des diamants, où je vous avais dit avoir vu un homme attaché à un quartier
385 de mouton et transporté de la vallée sur la montagne par un oiseau nommé rokh[1]. Eh bien! cet homme-là, le voici! C'est celui-ci même qui est Sindbad le Marin, l'homme généreux qui m'avait fait cadeau de si beaux diamants!» Et, ayant parlé de la sorte, le marchand vint m'embrasser comme un frère retrouvé.

390 Alors, le capitaine du navire me considéra un instant et soudain me reconnut lui aussi pour être Sindbad le Marin. Et il me prit dans ses bras comme il aurait fait de son fils, me félicita d'être encore en vie et me dit: «Par Allah, ô mon maître, ton histoire est étonnante et ton aventure est prodigieuse! Mais
395 béni soit Allah qui a permis notre réunion et t'a fait retrouver tes marchandises et ton bien!» Puis il fit porter à terre mes marchandises pour que je les vendisse, à mon entier profit cette fois. Et, de fait, le gain que je fis fut énorme et me dédommagea au-delà de toute espérance de ce que le temps m'avait fait
400 perdre jusque-là. Après quoi, nous quittâmes l'île Salahata et nous arrivâmes dans les pays de Sind, où nous vendîmes et achetâmes également.

Dans ces mers lointaines, je vis des choses étonnantes et des prodiges innombrables dont je ne puis vous faire le récit en
405 détail. Mais, entre autres choses, je vis un poisson qui avait l'aspect d'une vache, et un autre qui ressemblait à un âne. Je vis

---

1. Oiseau légendaire, fantastique et gigantesque, qui vit dans un pays riche en diamants.

aussi un oiseau qui naissait de la nacre marine, et dont les petits vivaient à la surface des eaux, sans jamais voler sur la terre.

Après cela, nous continuâmes notre navigation, avec la per-
410 mission d'Allah, et nous finîmes par arriver à Bassra, où nous ne restâmes que peu de jours, pour enfin rentrer dans Bagdad.

Alors je me dirigeai vers ma rue, j'entrai dans ma maison, je saluai mes parents, mes amis et mes anciens compagnons, et je fis de grandes largesses aux veuves et aux orphelins. J'étais, en
415 effet, rentré enrichi plus que jamais des dernières affaires que j'avais faites en vendant mes marchandises.

BIEN LIRE

- **Pourquoi Sindbad désire-t-il repartir ? Quels mots annoncent que le voyage se passera mal (l. 9-11) ?**
- **À quel moment du texte vont commencer les difficultés ?**
- **Quel mot l'introduit ?**
- **Quels mots annnoncent les malheurs à venir ?**
- **Pourquoi Sindbad renonce-t-il à se tuer ?**
- **Quel nouveau hasard extraordinaire va aider Sindbad ?**

Luzel
Contes

La Princesse aux trois couleurs

Il y avait une fois un Roi de France qui avait un fils, nommé Marhic. Le prince aimait beaucoup la chasse. Un jour du mois de décembre qu'une neige épaisse recouvrait la terre, il abattit un corbeau, dans le jardin de son père. L'oiseau, en tombant sur la
5 neige, la teignit de son sang, et quand Marhic s'approcha pour le prendre, il admira l'effet produit par l'association de ces trois couleurs : noir, rouge et blanc. Il resta un moment rêveur et se dit :

– Je veux pour femme une Princesse dont le visage présente ces trois couleurs : noir, rouge et blanc !

10 Il rentra au [palais] et dit au Roi :

– Mon père, je veux pour femme la Princesse aux trois couleurs : noir, rouge et blanc.

– Où donc est-elle, cette Princesse ? répondit le Roi, étonné.

– Je saurai bien la trouver, mon père ; donnez-moi seulement
15 congé pour aller à sa recherche.

Le jeune Prince insista tant, que son père finit par y consentir. Il lui donna le meilleur cheval de ses écuries, une bourse bien garnie, et il partit.

Voilà donc Marhic en route, à la recherche de la Princesse
20 aux trois couleurs. Mais comme il ne savait quelle direction prendre, s'il devait aller au nord ou au sud, à l'est ou à l'ouest, il s'en confia à son cheval, lui laissant flotter les rênes sur le cou. Le cheval se dirigea vers le Levant[1].

---

1. L'est.

Partout où il passait, Marhic faisait bannir[1], dans les villes et les villages, que quiconque pourrait lui donner des nouvelles de la Princesse aux trois couleurs, en serait généreusement récompensé. Mais, personne ne savait où se trouvait cette Princesse, ni n'en avait même entendu parler.

Mais le Prince ne s'en décourageait pas et continuait de s'avancer au Levant. Il y avait déjà longtemps que Marhic était parti de chez son père, et, à force de faire le généreux et d'agir en prince, tout le long de la route, sa bourse s'était épuisée, si bien qu'il se vit obligé de vendre son cheval et de continuer sa route à pied.

La nuit le surprit dans une forêt, où il ne trouvait aucune habitation. Son inquiétude était grande, car il entendait des loups hurler, de tous les côtés. Il grimpa sur un arbre, et aperçut une petite lumière, au loin. Il descendit et se dirigea vers cette lumière. Il arriva à une pauvre habitation de terre et de branchages, adossée à l'angle de deux grands rochers. Il poussa la porte de genêts[2] en palissade, et aperçut, au fond de la logette, un vieillard à longue barbe blanche, à genoux devant une grossière croix de bois.

— Bonsoir, mon père ermite[3], lui dit Marhic.

— Bonsoir, mon enfant, répondit le vieillard ; qui êtes-vous et que puis-je faire pour vous ?

— Je suis le fils du Roi de France, et je voyage depuis longtemps déjà, à la recherche de la Princesse aux trois couleurs. Si

---

1. Annoncer.
2. Plantes à fleurs jaunes et odorantes qui poussent sur les terres ingrates.
3. Religieux qui vit dans la solitude pour se consacrer à Dieu.

vous pouviez me dire où elle habite, vous me rendriez un grand service.

50   — Oui, mon neveu, je puis te le dire.

— Comment votre neveu ?... reprit Marhic, étonné.

— Je suis le frère aîné de ton père, mon enfant, et je me suis retiré dans ce bois, pour faire pénitence[1] de péchés et de crimes commis dans le monde, quand j'étais jeune. Personne n'a pu te
55 dire, jusqu'à présent, où demeure la Princesse aux trois couleurs ; moi, je te le dirai et te procurerai le moyen d'arriver jusqu'à elle. Tu vas passer la nuit avec moi, dans ma hutte ; je partagerai avec toi mon frugal[2] repas, de simples racines d'herbes, et, demain matin, je te donnerai mes instructions et tu partiras.

60   Le lendemain, au lever du soleil, le vieillard réveilla le jeune Prince, et, au moment du départ, il lui donna une boule rouge et lui dit :

— Voici une boule d'or, qui roule d'elle-même. Tu n'auras qu'à la suivre, et elle te conduira tout droit au château de la
65 Princesse aux trois couleurs. Le château est entouré de hautes murailles. Une porte de fer donne accès dans la cour. La boule ira heurter contre cette porte, qui s'ouvrira aussitôt. Tu entreras dans la cour du château et n'y verras personne. Tu entreras alors dans un jardin rempli de belles fleurs et d'arbres fruitiers. Tu y
70 verras un pommier, qui porte trois belles pommes rouges, sur une branche qui s'étend au-dessus d'une fontaine. Tu les cueilleras, les mettras dans ta poche et t'en iras aussitôt. Tu

---

1. Peine accomplie pour être absous de ses fautes ou pour faire pardonner celles des autres.
2. Très sobre.

retrouveras ma boule à l'endroit où tu l'auras laissée, à la porte de la cour. Tu la suivras encore, et elle te conduira au bord de
75 la mer. Tu y verras plusieurs [maisons] et entreras dans l'une d'elles, qui a meilleure apparence que les autres et dont la mer baigne les fondations. Tu demanderas une chambre, pour passer la nuit. Quand tu seras seul dans ta chambre, tu fendras tes pommes, avec ton couteau. De la première, il sortira une
80 Princesse de la couleur de la lune, et tu la jetteras aussitôt à la mer, par la fenêtre de ta chambre. De la seconde, il sortira une Princesse de la couleur des étoiles, et tu la jetteras à la mer, comme l'autre. Enfin, de la troisième pomme, il sortira une troisième Princesse, de la couleur du soleil, et celle-là, tu ne la
85 jetteras pas à la mer, car c'est elle que tu cherches, la Princesse aux trois couleurs, et tu l'amèneras chez ton père.

Marhic remercia son oncle l'ermite, prit congé de lui, et se remit en route, conduit par la boule d'or, qui roulait devant lui. Il arriva, sans accident, au château de la Princesse, pénétra sans
90 difficulté jusqu'au jardin, cueillit les trois pommes, les emporta, sans être vu de personne, et sa boule le conduisit au bord de la mer. Il entra dans la maison que lui avait signalée l'ermite, et fut étonné d'y trouver sa nourrice et sa fille qui y tenaient un hôtel. On lui fit le meilleur accueil. Quand il se trouva seul
95 dans sa chambre, le soir, avant de se coucher, il fendit ses trois pommes, jeta à la mer la Princesse de la couleur de la lune et la Princesse de la couleur des étoiles, qui sortirent des deux premières, et épargna la Princesse de la couleur du soleil, sortie de la troisième, et qui lui parla ainsi :

100 — Merci, Marhic, fils du Roi de France, car vous m'avez délivrée ! J'étais retenue captive[1] dans cette prison par un géant
magicien. Mais, à présent, je suis libre !

— Allons, vite, à Paris, dit Marhic ; j'ai hâte de vous présenter
à mon père et de lui demander la permission de vous épouser.

105 La boule d'or retourna alors vers l'ermite, et Marhic s'embar-
qua avec la Princesse sur un navire, qui fit voile pour la France.
Il emmena aussi sa nourrice, qui lui témoigna le désir de retourner dans son pays. Celle-ci avait une fille, laide et disgracieuse,
et elle conçut le projet de la substituer à la Princesse et de la faire
110 épouser à Marhic. Mais, pour cela, il fallait d'abord se débarrasser de la Princesse. Une nuit qu'elle était seule avec elle sur le
pont du navire, pendant la traversée, elle la jeta à la mer, sans
que personne en sût rien à bord. Puis elle mit sa fille dans son
lit et dit à Marhic que la Princesse était tombée tout d'un coup
115 malade, et si gravement, qu'il ne pourrait la revoir, avant leur
arrivée à Paris. Au bout de trois jours Marhic força la consigne,
et pénétra dans la chambre. Mais, la nourrice y entretenait[2] une
obscurité complète, sous le prétexte que la Princesse ne pouvait
supporter la lumière, de sorte qu'il ne put rien voir. Il demanda
120 à la prétendue malade comment elle se trouvait, et une voix
faible et à peine intelligible[3], comme celle d'une mourante,
(celle de la fille de la nourrice, à qui sa mère avait fait la leçon)
lui répondit qu'elle était très mal, et qu'elle le priait de ne plus

---

1. Enfermée.
2. Conservait.
3. Compréhensible.

pénétrer dans sa chambre, avant qu'ils fussent arrivés à Paris. Et
125 comme Marhic demandait la cause de la mauvaise odeur qui l'in-
commodait[1], la nourrice lui répondit qu'elle provenait de la
maladie de la Princesse, dont tout le visage était rongé d'une
lèpre[2] horrible, mais qu'elle connaissait cette maladie, assez commune dans le pays qu'ils venaient de quitter et répondait de la
130 guérir pourvu qu'on lui laissât à elle seule le soin de la Princesse,
pendant la traversée. Mais, en réalité, [c'était] la mauvaise odeur
de l'haleine de la Princesse, qui infectait[3] l'air, autour d'elle.

Quand ils arrivèrent à Paris, la fausse Princesse se trouva gué-
rie, comme par enchantement, et Marhic put enfin la voir.
135 Mais, quoique sa mère l'eût bien habillée et parée, il recula stu-
péfait, à son aspect. La nourrice avait beau lui dire que ce changement était l'effet de la maladie de la Princesse, pendant la traversée, il refusait d'y croire, et ne voulait plus entendre parler de
mariage. Mais, son père lui dit :
140 — Tu as voulu avoir pour femme la Princesse aux trois couleurs ; tu l'as trouvée et amenée à mon palais, après un long et
pénible voyage, et maintenant tu lui ferais l'affront[4] de n'en pas
vouloir pour femme !... Non, ce n'est pas ainsi que doit se comporter un prince royal, et tu l'épouseras !
145 Marhic dut se résigner, et le mariage fut célébré ; mais, en
allant à l'église pour la cérémonie religieuse, il avait l'air d'al-

---

1. Gênait.
2. Maladie de la peau longtemps restée incurable.
3. Empestait.
4. Offense.

ler à un enterrement, plutôt qu'à la noce. Il y eut des festins et des fêtes, pendant huit jours, mais Marhic ne donnait toujours aucun signe de joie, et refusait obstinément d'approcher du lit
150 conjugal.

Quand les fêtes furent terminées, il allait tous les jours, seul, à la pêche à la ligne, au bord de la mer, et, tous les jours, il prenait un petit poisson de trois couleurs, et rien de plus ; mais il le rejetait, chaque fois, à la mer, et ne rapportait rien à la mai-
155 son. Ce que voyant sa femme, elle s'en plaignit au Roi. Le Roi dit à son fils que sa femme désirait manger de sa pêche, et qu'il fallait lui apporter ce qu'il prendrait, si peu que ce fut.

Il prit encore, ce jour-là, le petit poisson aux trois couleurs, qui lui dit, cette fois :
160 — Ne me rejette pas à l'eau, comme les autres jours, mais emporte-moi et me donne à la cuisinière du palais, qui m'apprêtera pour la table du Roi. Recommande-lui de te conserver toutes mes arêtes, que tu planteras en terre, dans le jardin, devant les fenêtres de la chambre de ta femme.
165 Marhic emporta le petit poisson et le donna à la cuisinière, en lui recommandant de lui conserver les arêtes. On le servit, le soir même, sur la table du Roi, et le lendemain, les arêtes furent plantées en terre, devant les fenêtres de la fille de la nourrice. Il s'en éleva un beau laurier, qui poussa et s'accrut avec une rapi-
170 dité étonnante, au point d'offusquer[1] bientôt les fenêtres de la fille de la nourrice. Celle-ci s'en plaignit au Roi et lui demanda

---

1. Gêner, obstruer.

de faire disparaître le laurier. Le Roi donna l'ordre à son jardinier de le couper, au ras de terre. Mais, Marhic voulut se charger lui-même de cette besogne[1]. Quand il fut au pied du laurier,
175 armé d'une hache et prêt à frapper, l'arbre lui parla de la sorte :

— Si tu m'abats avec ta hache, donne les copeaux[2] que tu feras à une vieille mendiante, qui vient tous les jours demander l'aumône au château, et recommande-lui de ne pas en faire du feu, mais de les conserver dans un coin de sa cabane, et elle s'en
180 trouvera bien.

Marhic abattit le laurier, et la vieille mendiante emporta les copeaux, dans son tablier, et les jeta derrière la porte de son habitation. Mais, la nuit suivante, étant dans son lit, elle aperçut une lumière si vive, derrière la porte, qu'elle crut que les
185 copeaux avaient pris feu et allaient incendier sa cabane. Elle se leva, pour aller voir, et son étonnement fut grand de voir une belle Princesse, brillante comme le soleil, à l'endroit où elle avait déposé les copeaux. La Princesse lui dit de ne rien craindre, mais de sortir, un moment, et de regarder autour
190 d'elle. Elle sortit, et, à la place de sa pauvre cabane, elle vit un château magnifique, bien plus beau que celui du Roi. La Princesse lui dit alors :

— Il y a douze chambres dans mon château, toutes plus belles les unes que les autres. Onze sont et resteront ouvertes, et vous
195 les ferez visiter au Roi et à sa suite, quand il viendra. Moi, je me

---

1. Travail.
2. Éclats détachés d'un morceau de bois avec un instrument tranchant.

retirerai dans la douzième, la dernière, dont voici la clef, et vous ne l'ouvrirez que sur la demande du Roi, quand il aura visité les autres chambres. Demain matin, vous irez inviter le Roi à venir avec sa cour et toute sa maison, même les valets d'écuries, les
200 porchers et les gardeuses d'oies, et de dindons, visiter le château merveilleux, qui, pendant la nuit, s'est élevé, on ne sait comment, dans la forêt, et dont la maîtresse est une Princesse, la plus belle du monde. Voici du reste, une lettre que vous lui remettrez, avec un anneau orné d'un diamant, afin qu'il prenne
205 au sérieux l'invitation. Vous verrez ensuite ce qui arrivera.

Ayant ainsi parlé, la Princesse se retira dans sa chambre, et la vieille en ferma la porte et mit la clef dans sa poche. Puis, au point du jour, elle se mit en route vers le palais du Roi, à qui elle remit la lettre et montra le diamant. Le Roi fut on ne peut
210 plus étonné, à la lecture de la lettre, et crut d'abord à une mauvaise plaisanterie ; mais la vue du diamant, qui était bien plus beau que celui de sa couronne, le rassura, et, quelque merveilleuse que lui parût l'aventure, il n'hésita plus, et donna l'ordre à la cour et à toute sa maison de se préparer à le suivre,
215 en grand train et équipage de gala. Ce fut un remue-ménage, dans tout le palais. À onze heures, tout fut prêt, et on partit, et à midi, l'on arrivait dans la cour du château merveilleux. Le roi et sa suite contemplaient le château, muets et confondus[1] d'admiration et d'étonnement, lorsque la vieille parut sur le perron
220 et les invita à entrer.

---

1. Confus, qui ne savent que dire.

– Où est la maîtresse du château ? lui demanda le Roi.

– Elle achève sa toilette, pour vous recevoir, sire ; mais, en attendant, elle vous prie d'entrer, avec votre suite, pour visiter ses appartements.

²²⁵ Et la vieille les conduisit de chambre en chambre, et partout ils s'extasiaient sur les trésors et les merveilles de toute sorte qu'ils y voyaient. En sortant de la onzième chambre, ils se trouvèrent devant une douzième, la dernière, dont la porte en or massif et d'un travail merveilleux était fermée.

²³⁰ – Qu'est-ce qu'il y a dans cette chambre ? demanda le Roi.

– C'est la chambre de la Princesse, sire, répondit la vieille.

– Demandez-lui si elle veut me recevoir.

La vieille mit la clef dans la serrure, ouvrit la porte, et ils virent une Princesse d'une beauté incomparable, et brillante et ²³⁵ radieuse comme le soleil. Tous poussèrent un cri d'admiration. Mais, Marhic se jeta dans ses bras, qu'elle lui tendait, en s'écriant :

– Ma fiancée !... c'est ma fiancée, la Princesse aux trois couleurs !...

²⁴⁰ À cette vue, la nourrice et sa fille se trouvèrent mal, et voulurent s'en aller. Mais le Roi s'y opposa et demanda l'explication de ce mystère.

La Princesse raconta comment la nourrice de Marhic, pour lui substituer sa fille, l'avait jetée à la mer, où elle s'était chan²⁴⁵gée aussitôt en un petit poisson. Marhic avait pêché le petit poisson, qui fut mangé à la table du Roi, et dont les arêtes

avaient été plantées dans le jardin du palais. De ces arêtes
s'éleva un beau laurier, qui offusqua bientôt les fenêtres de la
chambre de la fille de la nourrice, installée au palais comme
250 femme du prince héritier. Celle-ci fit abattre le laurier ; mais
les copeaux en furent recueillis par la vieille mendiante qui
vous a reçu et vous a fait les honneurs de mon château. Elle
les emporta dans sa pauvre cabane, et c'est de ces copeaux,
grâce à mon pouvoir magique, que je suis sortie, avec mon
255 château.

Le Roi, éclairé par ce récit, dit alors :

— Il est juste que chacun soit récompensé selon ses œuvres.
La nourrice et sa fille, ces deux tisons de l'enfer, où elles doivent
retourner, périront par le feu ; et Marhic épousera la belle
260 Princesse aux trois couleurs, qu'il a délivrée et conquise, au prix
de beaucoup de travaux et de mal.

Et il en fut ainsi. La nourrice et sa fille furent brûlées sur un
énorme bûcher[1], et leurs cendres jetées au vent ; et les noces de
Marhic et de la Princesse aux trois couleurs furent célébrées
265 avec une pompe et une magnificence toute royale.

Pendant quinze jours, il y eut des festins et des fêtes, auxquels
furent invités les pauvres comme les riches.

L'arrière-grand père du grand-père de mon grand-père s'y
trouvait, en qualité de marmiton[2] du Roi, et c'est ainsi que le
270 souvenir s'en est conservé dans ma famille et que j'ai pu vous

---

1. Tas de bois sur lequel on brûle un condamné.
2. Aide-cuisinier.

conter fidèlement cette belle histoire, sans mentir d'un seul mot
– ce que ne font pas tous les conteurs.

> Conté en breton par Vincente Guillou,
> au Guerlesquin, le 14 septembre 1888.

BIEN LIRE

- **Quelle sera la quête de Marhic et comment sa difficulté est-elle suggérée ?**
- **Quelle est la ruse de la nourrice ?**
- **Qu'est-ce qui peut nous faire penser que le petit poisson est important (p. 141) ?**
- **Quelles sont les différentes transformations de la princesse ?**
- **À quoi sert la conclusion du récit ?**

L'enfant qui trompa le Diable

I

Il y avait une fois un seigneur qui était si riche, si riche qu'il ne connaissait pas tous ses domaines. Un jour, en examinant ses titres de propriété, il découvrit qu'une petite ferme lui appartenait dont le tenancier[1] ne lui avait jamais rien payé. Il monta à cheval et se rendit à la ferme. En y arrivant, ne trouvant personne dans la cour, il descendit de cheval, et, un pied dans la chaumière[2], l'autre dehors, et la tête du cheval s'avançant aussi par-dessus son épaule, il regarda à l'intérieur, et, ne voyant personne, il demanda :

– Est-ce qu'il n'y a personne ?

– Si, Monseigneur, répondit en accourant un garçon de sept à huit ans, à la mine éveillée[3] et à l'air intelligent, il y a moi.

– Et pas d'autre ?

– Si, il y a encore une moitié d'homme et une tête de cheval.

– Est-il assez bête, cet enfant ! se dit le seigneur.

Et il demanda encore :

– Où est ton père ?

– Il est allé déboucher un petit trou pour en boucher un grand.

– Et ta mère ?

– Ma mère est allée faire cuire du pain mangé.

---

1. Personne qui s'occupe d'une ferme qui ne lui appartient pas.
2. Maison dont la toiture est faite de chaume.
3. Air vif.

– Tu déraisonnes ; où est ton frère aîné ?

– Mon frère est à la chasse, au soleil, contre la meule de
25 paille[1], et il laissera ce qu'il prendra, et rapportera ce qu'il ne
prendra pas.

– Décidément il est idiot. – Et ta sœur ?

– Ma sœur est dans son lit, qui pleure son plaisir de l'an
passé.

30 – À qui sont les petits cochons que voilà ?

– À la truie, leur mère.

– Impossible d'avoir une réponse raisonnable. Où va le chemin que voilà ?

– Ce chemin ne va nulle part, il ne bouge pas et je l'ai tou-
35 jours vu là.

Le seigneur s'en alla là-dessus, bien convaincu que l'enfant
était idiot. Il rencontra le père en route et lui dit :

– Je viens de chez vous, mais je n'ai trouvé dans la maison
qu'un enfant de sept à huit ans, qui me paraît idiot, ou pour le
40 moins peu intelligent, car à toutes mes questions il a répondu
de telle manière que je n'y ai rien compris.

– C'est mon plus jeune fils, répondit le paysan, et il ne
manque pas d'intelligence, je vous assure, Monseigneur. Faites-
moi connaître ses réponses, je vous prie, et je crois pouvoir vous
45 expliquer ce qu'elles ont d'obscur pour vous.

– D'abord, quand j'ai demandé, en arrivant, s'il n'y avait personne dans la maison, car je ne le voyais pas, du seuil de la

---

1. Tas de foin, de paille, dressé après les moissons.

porte, où j'étais avec mon cheval, que je tenais par la bride, il m'a répondu, en accourant, qu'il y avait d'abord lui, plus une
50 moitié d'homme et une tête de cheval. Puis, à mes autres questions : où étaient son père, sa mère, son frère, sa sœur, à qui appartenaient les petits cochons que je voyais dans la cour, et où allait le chemin qui passe devant la maison, il a répondu que son père était allé déboucher un petit trou, pour en boucher un
55 grand ; que sa mère faisait cuire, au four banal[1], du pain mangé ; que son frère était à la chasse, et qu'il laisserait ce qu'il prendrait et rapporterait à la maison ce qu'il ne prendrait pas ; que sa sœur était au lit, pleurant sur son plaisir de l'année passée ; que les petits cochons appartenaient à la mère la truie ;
60 enfin, que le chemin qui passe devant la maison ne va nulle part et reste en place. Vous avouerez que ce sont là de sottes réponses et telles qu'un imbécile seul peut en faire.

— Excusez-moi, Monseigneur, je ne suis pas tout à fait de votre avis là-dessus, et si vous voulez bien m'écouter, je pense
65 pouvoir vous faire comprendre ce que vous y trouvez d'obscur.

— Voyons cela ; je suis bien curieux de savoir comment vous me prouverez que votre fils a de l'esprit.

— Voici, Monseigneur : d'abord, quand vous lui avez demandé s'il n'y avait personne dans la maison, il vous a
70 répondu qu'il y avait lui, plus une moitié d'homme et une tête de cheval. Cela signifie que vous aviez probablement un pied dans la maison, l'autre dehors, et que votre cheval, que vous

---

1. Four commun.

teniez par la bride, y avançait aussi la tête, par-dessus votre épaule?

75   – C'est ma foi vrai, répondit le seigneur.

    – Il vous a dit ensuite que son père était allé déboucher au petit trou pour en boucher un grand. Je suis pauvre, Monseigneur ; j'ai de la peine à vivre et à entretenir ma famille ; je suis criblé de dettes[1], et j'étais allé emprunter une petite 80 somme à un de mes voisins pour donner un à-compte[2] à un autre et le faire patienter au sujet d'une plus forte somme que je lui dois. C'est ce que mon fils appelle déboucher un petit trou pour en boucher un plus grand. Ma femme était allée au four banal faire cuire du pain destiné à un autre voisin, en paye-85 ment d'autre pain qu'il nous avait prêté, il y a trois mois, et c'est bien là faire cuire du pain déjà mangé. Mon fils aîné était auprès d'une meule de paille, au soleil, occupé à faire la chasse à la vermine[3] qui le dévore, et il laissait sur la place ce qu'il prenait et rapportait à la maison ce qu'il ne prenait pas.

90   – C'est juste, répondit le seigneur, ébahi[4].

    – Ma fille, reprit le paysan, avait un amoureux, qui lui promettait le mariage, et qui l'a trompée et délaissée[5], et elle est au lit, près d'accoucher et pleurant sur son plaisir passé. Et quant aux petits cochons, ils sont bien à leur mère la truie, autant qu'à 95 moi, et le chemin qui est devant notre maison ne va, en réalité, nulle part, puisqu'il ne bouge ni ne change de place.

---

1. J'ai beaucoup de dettes.
2. Partie de l'argent dû.
3. Pou ou autre parasite.
4. Très surpris.
5. Abandonnée.

— Tout cela me semble bien trouvé, répondit le seigneur, étonné de tant d'esprit chez de pauvres paysans, et je vois, à présent, que votre fils n'est pas un imbécile, comme je l'avais
100 cru d'abord. Si vous voulez me le donner, je l'emmènerai avec moi au château, où il nous divertira ma femme et moi, et sera traité comme mes propres enfants, avec qui il vivra.

— Mon fils m'est utile, Monseigneur, et je ne voudrais pas le voir quitter la maison, si tôt.

105 — Donnez-le moi, et je vous céderai en toute propriété la ferme, car elle m'appartient, votre ferme, j'en ai retrouvé les titres, et il faut que vous me payiez une rente[1] annuelle, ou je vous donnerai congé.

— Nous sommes si pauvres, Monseigneur, que je suis obligé
110 d'en passer par où vous voudrez.

— Eh bien! amenez-le moi, dans huit jours, ou je viendrai le prendre moi, même.

Là-dessus, le seigneur s'en retourna à son château.

II

115 Le bonhomme, en rentrant à la maison, fit part à son fils de sa conversation avec le seigneur. Mais, l'enfant répondit qu'il ne voulait pas aller au château, parce que c'était une maison de désordres de tout genre, et que le Diable y était en permanence.

120 Les huit jours expirés[2], le seigneur, ne voyant venir ni le père

---

1. Loyer.
2. Passés.

ni le fils, remonta à cheval et se rendit de nouveau à la ferme. Il vit l'enfant qui gardait les moutons de son père sur une lande[1], et alla droit à lui et essaya de le séduire par de belles promesses. Mais, il résistait toujours, si bien qu'il l'enleva de force.

125 Il lui fit faire des habits neufs, et le traita comme ses enfants, avec qui il était constamment. Mais il observait attentivement tout ce qui se passait autour de lui et voyait des choses étranges et qui lui déplaisaient.

Un jour, le seigneur lui demanda :

130 — Pourquoi ne voulais-tu pas venir avec moi ? J'espère que tu te trouves bien ici et que tu ne regrettes pas la maison de ton père.

— Votre maison est un lieu de désordre et un séjour dangereux, et c'est pour cela que je ne voulais pas venir.

135 — Comment cela ?

— Vous avez ici un premier valet dont il faut vous défaire, le plus tôt possible, autrement il vous arrivera malheur à tous.

— Mais, c'est un bon valet, et je suis content de lui.

— Oui, il chante et siffle, tout le long des jours, et pourtant 140 son travail est toujours fait à point et bien fait. Il y a trois ans qu'il est à votre service, et vous ne le connaissez pas encore. Eh bien ! je vous en avertis, c'est le Diable, et s'il reste encore six mois chez vous, il vous emportera tous dans l'enfer, vous, votre femme et vos enfants. Ouvrez les yeux, il en est temps encore.

145 — Oh ! mon Dieu, que me dis-tu là ?

---

1. Paysage désertique.

— La vérité, Monseigneur.

— Et comment me défaire de lui ?

— Voici comment vous pourrez vous en débarrasser : vous
l'enverrez, demain, avec un autre valet à la ville, pour faire une
150 commission pressée, et vous promettrez, comme récompense,
au premier qui sera de retour à la maison les deux premières
choses sur lesquelles ils mettront la main, quelles qu'elles
soient. Ils monteront tous les deux à cheval, le premier valet,
sur une mauvaise rosse[1], et l'autre, sur le meilleur cheval de vos
155 écuries, et ils partiront ensemble. Ce sera le premier valet, c'est-
à-dire le Diable, qui reviendra le premier, et c'est sur vous et sur
votre femme qu'il voudra d'abord mettre la main, et il vous
sommera de tenir votre promesse.

— Et comment faire pour lui échapper ?

160 — Voici : Vous monterez avec votre femme sur la plus haute
tour du château. Il vous priera de descendre. Vous n'en ferez
rien. Il s'emparera alors d'une échelle que je ferai mettre au pied
de la tour, et appliquer contre la muraille, pour monter jusqu'à
vous. Mais, je ferai en sorte que l'échelle se casse en deux et qu'il
165 tombe à terre. De cette façon, les deux premières choses sur lesquelles il aura mis la main, en arrivant, seront les deux morceaux de l'échelle, et vous serez sauvés.

— Si tu fais que les choses se passent de la sorte, je te donnerai la main de ma fille, avec le château et tout le domaine.

170 Voilà nos deux hommes en route, le premier valet, sur une

---

1. Mauvais cheval.

rosse, et l'autre sur un beau cheval. Le premier valet arrive, malgré tout, avant l'autre, en chantant et en sifflant, selon son habitude.

– Où sont le maître et la maîtresse ? demanda-t-il aussitôt.

175 – Ils sont montés sur la grande tour, lui répond-on.

Il va à la porte de la tour et la trouve fermée à clef et au verrou. Il frappe, appelle à haute voix, et, comme on ne lui ouvre ni ne répond, il saisit l'échelle qu'il voit au pied de la tour, l'applique contre la muraille et y monte. Mais, le fils du laboureur,

180 d'un coup de scie, l'avait arrangée de telle sorte qu'elle se rompit, quand il fut à la moitié de sa hauteur, et il tomba sur le pavé de la cour. Il se releva, en jurant et en tempêtant[1], et, apercevant le seigneur et sa dame qui riaient, au haut de la tour, il cria, en leur montrant le poing :

185 – Venez me livrer ce que vous m'avez promis !

– Vous l'avez, répondit le seigneur.

– Comment cela ? Vous moquez-vous de moi ?

– Je vous avais promis les deux premières choses sur lesquelles vous mettriez la main, en arrivant ; eh bien ! ce sont les

190 deux morceaux de cette échelle ; vous pouvez les emporter, si vous voulez.

Le Diable, se voyant dupé[2], s'écria :

– Vous avez eu de la chance de trouver un enfant pour vous conseiller, car, sans lui, vous m'apparteniez !... Si j'étais resté six

---

1. Rageant, criant.
2. Trompé.

195 mois encore dans votre maison, je vous emportais tous dans l'Enfer, vous, votre femme et vos enfants !...

Ayant prononcé ces paroles, il disparut, au milieu d'une tempête épouvantable, vent furieux, tonnerre, pluie, éclairs. En partant, il renversa un pignon[1] du château, qui ne put jamais
200 être relevé.

Le seigneur, pour récompenser son sauveur, le maria avec sa fille, quand il eut l'âge convenable, et, en attendant, il appela auprès de lui le père et ses autres enfants, et les traita comme des membres de sa famille.

Conté en breton par Marguerite Philippe,
recueilli et traduit par Luzel.
Plouaret, le 12 septembre 1887.

1. Sommet triangulaire d'un mur ou d'une façade.

BIEN LIRE

• **Pourquoi le seigneur va-t-il chez le fermier ?**
• **Pourquoi le seigneur veut-il emmener le jeune garçon et quel marché propose-t-il au père (l. 105-108) ?**
• **Pourquoi le jeune garçon refuse-t-il ?**
• **Pourquoi le Diable n'insiste-t-il pas (l. 192-196) ?**
• **Pourquoi n'a-t-on pas pu relever le pignon (l. 198-200) ?**

La mule blanche

Un soldat qui rentrait dans ses foyers, son congé[1] terminé, rencontra sur sa route une mule blanche, sellée, bridée et qui paraissait abandonnée.

– Voici, se dit-il, une jolie mule blanche, qui a sans doute
5 désarçonné[2] son cavalier et a pris la fuite.

Et comme il la considérait, tenté de monter dessus, car il était bien fatigué, la mule lui dit, d'une façon très intelligible :

– Monte sur mon dos, et je te porterai à Paris.

– Comment, répondit-il, tout étonné, vous parlez donc,
10 comme un homme ?

– Oui ; monte sur mon dos, te dis-je.

– Je le veux bien, car je suis harassé[3] de fatigue, mais à la condition que vous me conduirez, non à Paris, mais dans mon pays, en basse Bretagne.

15 – Non, c'est à Paris que je veux te conduire ; obéis-moi et tu n'auras pas lieu de t'en repentir[4], car je ne te veux que du bien.

Le soldat, qui se nommait Edern, trouva si extraordinaire de voir un animal lui parler de la sorte, qu'il crut devoir lui obéir et monta sur son dos, rêvant déjà de merveilles de tout genre
20 [à] conter, au régiment, et dans les veillées d'hiver, chez son père. Une fois qu'il fut en selle, la mule prit la direction de

---

1. Temps militaire.
2. Fait tomber.
3. Épuisé.
4. Regretter.

Paris, tournant le dos à la Bretagne. Bientôt Edern aperçut devant lui quelque chose qui brillait sur la route, et il descendit, pour voir ce que c'était car le jour baissait et il commençait déjà à faire sombre. C'était un fer de cheval en or.

– Laissez là cet objet et continuons notre route, lui dit la mule.

– Non certainement, je ne le laisserai pas ; un fer à cheval en or ! cela ne se trouve pas tous les jours.

– Laissez là cet objet, vous dis-je, ou vous vous en repentirez.

Mais Edern s'obstina à vouloir l'emporter, le mit dans sa poche et remonta sur la mule, qui continua sa route.

Un peu plus loin, comme l'ombre s'épaississait toujours, il vit quelque chose qui brillait comme une flamme, dans un buisson, au bord du chemin. Il descendit encore, pour voir ce que c'était et reconnut que c'était une plume, qui luisait dans l'obscurité.

– Laissez là cet objet, ou vous vous en repentirez, si vous l'emportez, lui dit encore la mule.

Mais il ne l'écouta pas, prit la plume et l'arbora à son chapeau, pour les éclairer, comme une lanterne, dans un bois sombre, qu'ils traversèrent ensuite.

Au bout de trois jours et trois nuits de marche, ils arrivèrent à Paris, et logèrent dans une modeste[1] auberge, dans un faubourg[2]. Le lendemain matin, la mule dit à Edern :

1. Pauvre.
2. Partie de la ville située à l'extérieur des murs d'enceinte.

— Tu vas te rendre maintenant au palais du Roi et tu demanderas un emploi dans ses écuries, mais à la condition que j'y sois admise avec toi.

Edern se rend au palais et obtient facilement un emploi de
50 garçon d'écurie et l'admission de sa mule blanche dans les écuries royales. On lui donna à soigner douze chevaux, mais dans le plus triste état, maigres et décharnés[1] à faire pitié, et on lui dit qu'il devait les rendre gras et bien portants comme ceux des écuries de ses confrères[2], car le roi avait beaucoup de chevaux
55 et des plus beaux.

Voilà notre homme bien embarrassé, car avec cela, on ne lui donnait de l'avoine et du foin qu'insuffisamment, pendant que les autres en avaient à discrétion[3]. Heureusement que la mule blanche vint à son secours, et lui dit :
60 — Tu frotteras, la nuit, tes chevaux avec ton fer à cheval en or, et, sans tarder, ils deviendront gras et luisants et bien portants, de manière à faire honte aux autres valets d'écurie. Mais prends bien garde d'être vu par eux, autrement nous en souffririons beaucoup.
65 Le jour, Edern soignait ses chevaux comme le faisaient les autres, mais la nuit, quand tout le monde dormait au palais, il retirait la plume lumineuse de l'étui où il la tenait cachée, la fixait contre la muraille de son écurie, et elle éclairait comme une lampe merveilleuse. Alors, il prenait son fer à cheval en or

1. Qui n'ont plus que la peau sur les os.
2. Personnes qui ont le même travail.
3. À volonté.

₇₀ et en frottait ses chevaux, et bientôt ils devinrent gras et luisants et fringants[1], de manière à faire honte aux autres valets d'écurie et à exciter leur jalousie. Ils épièrent[2] de près ses démarches[3] et remarquèrent que, la nuit, son écurie était éclairée d'une lumière plus vive que celle que produisaient leurs lampes ordinaires. Cette
₇₅ remarque éveilla leur curiosité, et, par le trou de la serrure, ils purent le voir qui frottait ses chevaux avec son fer à cheval en or.

— Il ne faut plus s'étonner, s'écrièrent-ils, si ses chevaux sont gras et fringants ; il a trouvé un fer du Cheval aux quatre pieds d'or ! S'il reste ici, il nous fera tous renvoyer comme inutiles ; il
₈₀ faut donc dire au Roi qu'il s'est vanté de pouvoir lui amener à sa cour le cheval aux quatre pieds d'or, et il perdra la vie, dans cette entreprise.

Ils demandèrent donc une audience au Roi, ce qui leur fut accordé, et l'un d'eux, portant la parole au nom de tous, lui dit :
₈₅ — Sire, votre valet d'écurie Edern, le dernier venu, s'est vanté de pouvoir vous amener à votre cour le cheval aux quatre pieds d'or.

— Celui dont les chevaux sont si gras et si fringants ? demanda le Roi.
₉₀ — Oui, Sire, celui-là même ; mais il n'est pas étonnant que ses chevaux soient en si bon état, car il possède un fer d'or du cheval aux quatre pieds d'or, et il lui suffit de frotter ses chevaux avec ce fer pour les rendre gras et fringants.

---

1. Vifs.
2. Espionnèrent.
3. Sa façon d'agir.

– Vraiment ? dit le Roi.

95 – Oui, sire.

– J'ai souvent entendu parler du Cheval aux quatre pieds d'or, et je serais heureux de l'avoir dans mes écuries ; allez, et dites à Edern de venir et d'apporter son fer à cheval en or.

Edern parut devant le Roi, inquiet et soupçonnant déjà 100 quelque trahison.

– On m'a assuré, lui dit le monarque, que vous possédez un fer en or du cheval aux quatre pieds d'or, avec lequel vous soignez vos chevaux, avec tant de succès ; donnez-le moi.

– Le voilà, sire, dit Edern, en présentant l'objet au Roi.

105 – C'est bien ; je le garde. Mais, ce n'est pas tout. On m'a encore dit que vous vous êtes vanté de pouvoir m'amener le cheval aux quatre pieds d'or lui-même.

– Excusez-moi, sire, je n'ai jamais dit rien de semblable. Comment aurais-je pu être si téméraire[1] ? Je ne sais pas où se 110 trouve le cheval dont vous parlez, et je n'avais même jamais entendu prononcer son nom avant aujourd'hui.

– Vous l'avez dit et vous le ferez, ou il n'y a que la mort pour vous. Allez.

Edern se retira, fort triste et fort inquiet, et vint raconter à sa 115 mule blanche son entrevue avec le Roi.

– Je t'avais dit, répondit la mule, que tu te repentirais un jour de ne m'avoir pas obéi, quand je te disais de ne pas emporter le fer à cheval en or ; mais je ne t'abandonnerai pas, et, si tu fais

---

1. Présomptueux.

de point en point ce que je vais te dire, nous pourrons encore
120 nous tirer de ce mauvais cas. Je sais où se trouve le cheval aux
quatre pieds d'or : il est, loin d'ici, dans une forêt, gardé par
deux géants terribles. L'entreprise est des plus périlleuses[1], et
plusieurs l'ont déjà tentée, qui n'en sont pas revenus. Tous les
jours, à midi juste, le cheval vient boire à une fontaine qui est
125 dans la forêt. C'est le seul moment où il soit possible de le
prendre, car les géants dorment alors, pendant une heure. Si tu
manques ton coup, ils t'emporteront dans leur château, au
fond du bois, et t'y mangeront. Voici comment il faudra t'y
prendre. Tu iras d'abord trouver le Roi et tu lui diras de te faire
130 confectionner une selle et une bride d'or, ce à quoi il consentira
facilement, car il brûle d'envie de posséder le merveilleux cheval. Quand tu tiendras la selle et la bride d'or, nous nous met-
trons tous les deux en route, car je ne te quitterai pas un seul
instant. Arrivés dans la forêt, nous irons droit à la fontaine, et
135 tu te cacheras derrière un buisson qui est auprès, pendant que
moi, je me tiendrai à quelque distance, mais sans te perdre de
vue. À midi juste, le cheval arrivera, au galop, et se mettra à
boire, dans le ruisseau qui coule de la fontaine. Tu sortiras alors
de ta cachette et t'avanceras vers lui, tout doucement, et feras
140 en sorte de lui mettre la selle sur le dos. Si tu y réussis, il se laissera brider et te suivra facilement. Si tu ne réussis pas, la première fois, il prendra la fuite, au moindre bruit, ou s'il t'aper-
çoit ; puis, il reviendra, une seconde fois, puis encore une troi-

---

1. Dangereuses.

sième fois, si tu échoues encore, mais, ce sera la dernière, et s'il
145 t'échappe encore, cette fois, tout sera perdu ; les géants arrive-
ront, t'emporteront et te mangeront.

Edern écouta bien les conseils de sa mule blanche et frissonna à la pensée d'être dévoré par les géants. Il n'était pourtant
pas poltron[1], et il persista à vouloir tenter l'aventure avec sa
150 mule blanche. Et puis, le Roi le menaçait aussi de la mort, s'il
ne lui amenait pas le cheval aux quatre pieds d'or, et il pensait
qu'il était préférable d'essayer, puisqu'il y voyait au moins une
chance de salut.

Dès qu'Edern fut en possession de la selle et de la bride d'or,
155 ils se mirent donc en route, sa mule blanche et lui, et arrivèrent
à la forêt, après une marche longue et pénible. Alors, se confor-
mant de point en point aux instructions de la mule, Edern alla
se cacher derrière un buisson, près de la fontaine, et attendit. À
midi juste, il entendit le cheval arriver au galop, à travers le
160 bois, et le vit bientôt déboucher dans la clairière où se trouvait
la fontaine. Le superbe animal !... Il resta saisi d'admiration à sa
vue. Deux fois il le manqua et le fit fuir ; mais il revint une troisième fois et il réussit enfin à lui jeter la selle sur le dos et à
mettre la bride en tête. Aussitôt le cheval se calma, et suivit
165 Edern, doux et docile comme un mouton. Ils se remirent alors
tous les trois en route vers Paris, et quand Edern arriva à la cour,
monté sur le cheval aux quatre pieds d'or, il produisit une
grande sensation et fut vivement félicité par le vieux Roi, qui,

---

1. Peureux.

malade et morose[1] auparavant, sembla rajeunir de joie et de
170 contentement et retrouva la gaieté de ses jeunes années.

Mais les valets crevaient de jalousie ; ils ne se tenaient pas
pour battus et ils songeaient déjà à lui susciter[2] de nouvelles difficultés.

Le chef des écuries lui donna encore à soigner douze autres
175 chevaux, les plus fourbus[3] et les plus mal en point qu'il pût
trouver. Le Roi avait gardé par devers lui le fer à cheval en or,
mais il lui restait encore la plume lumineuse, et la mule blanche
lui dit qu'il lui suffisait de frotter avec elle ces chevaux pour
qu'elle produisît le même effet sur eux que le fer à cheval en or.

180 Il frotta donc ses rosses avec la plume lumineuse, et elles
devinrent, en peu de temps, les plus beaux chevaux de toutes
les écuries royales.

Cependant, ses ennemis l'épiaient toujours, et l'ayant encore
remarqué, par le trou de la serrure, qui frottait ses chevaux avec
185 ce nouveau talisman[4], ils s'empressèrent de l'aller dénoncer au
Roi, comme possédant une plume de l'Oiseau d'or, dont la vue
et le chant rendaient la santé aux malades et la jeunesse aux
vieillards. Ils ajoutèrent même qu'il s'était vanté de pouvoir lui
amener à la cour cet Oiseau merveilleux.

190 — Il me faut cet Oiseau ! s'écria aussitôt le Roi : Dites à Edern
de venir me trouver, à l'instant.

---

1. Peu gai.
2. Apporter.
3. Épuisés.
4. Objet ayant un pouvoir magique.

Edern se rendit de nouveau devant le Roi, qui lui dit :

— Vous possédez une plume lumineuse de l'Oiseau d'or, dont la vue et le chant rendent la santé aux malades et la jeunesse aux vieillards ; donnez-moi cette plume.

— La voici, sire, dit Edern, en lui présentant la plume, qu'il portait toujours sur lui.

— C'est bien ; mais, à présent, il faut que vous m'apportiez l'Oiseau d'or lui-même.

— Comment pourrais-je le faire, sire ? Je ne l'ai jamais vu, cet Oiseau merveilleux, et je ne sais où le trouver, s'il existe.

— Vous devez savoir où le trouver, puisque vous avez pu lui enlever une de ses plumes, et il faut que vous me l'apportiez, ou il n'y a que la mort pour vous. Allez, mettez-vous en route, sur-le-champ, et ne revenez pas sans l'Oiseau.

Edern revint, tout contristé[1], vers sa mule blanche et lui fit part de la fantaisie et de l'ordre du Roi.

— Tu vois, lui dit la Mule, que tu aurais bien fait de suivre mon conseil, quand je te disais de laisser la plume lumineuse là où tu l'as prise. Cette épreuve est plus difficile encore que la première. N'importe ! Il faut aussi la tenter, et, en suivant bien mes instructions, et au prix de beaucoup de mal, nous pouvons encore en sortir à notre honneur. Écoute-moi bien : l'Oiseau d'or se trouve dans la même forêt où était le cheval aux quatre pieds d'or, et voici comme il te sera possible de le prendre : tu demanderas d'abord au Roi de te procurer une

---

1. Attristé.

belle cage d'or, qui se refermera d'elle-même, sitôt que l'Oiseau y sera entré. Quand tu tiendras la cage, nous partirons encore tous les deux pour la forêt des géants. Quand nous y

220 serons arrivés, tu la suspendras, ouverte, à une branche d'un grand arbre qui ombrage la fontaine près de laquelle tu as déjà pris le cheval aux quatre pieds d'or. Au lever du soleil, l'Oiseau d'or viendra à la fontaine, faire sa toilette du matin, et, en voyant une belle cage d'or ouverte et brillante sous les rayons

225 du soleil levant, il s'étonnera d'abord, regardera autour de lui, et n'apercevant rien de suspect (car tu te tiendras caché derrière le tronc de l'arbre, du côté du couchant,) il y entrera, et aussitôt la porte se fermera d'elle-même sur lui. Alors, tu enlèveras la cage avec l'Oiseau, tu viendras me rejoindre, dans le

230 bois, et nous partirons aussitôt. Mais, il faut que tout cela soit fait prestement[1], autrement les deux géants, qui, tous les matins, viennent aussi puiser de l'eau à la fontaine, te surprendraient, t'emporteraient à leur château et te mangeraient tout vif, à leur déjeûner.

235 Edern frissonna, à ces dernières paroles. Puis il se rendit auprès du Roi, obtint la cage d'or qu'il lui fallait, et, le lendemain matin, sa mule blanche et lui, l'une portant l'autre, se remirent en route. Leur marche fut encore longue et pénible, et, tout le long de la route, la mule ne cessa d'encourager son

240 compagnon de voyage et de le conseiller.

Enfin, pour abréger, tout se passa pour le mieux, et ils revin-

---

1. Rapidement.

rent à Paris avec l'Oiseau d'or, dans sa cage d'or. Quant il le vit, le vieux Roi ne se posséda pas de joie. Il l'emporta dans sa chambre à coucher, et il passait le temps à l'admirer et à l'écou-
245 ter chanter, et sa goutte[1] et ses autres infirmités disparurent, comme par enchantement.

Les valets, à partir de ce moment, n'osaient plus rien entreprendre contre Edern, et ils le laissèrent tranquille. Mais, une jeune chambrière[2] de la Reine, qui était amoureuse de lui et à
250 laquelle il n'accordait aucune attention, voulut aussi se venger de ce dédain[3]. Elle alla trouver le Roi, et lui dit qu'Edern s'était vanté de pouvoir lui amener à sa cour la Princesse aux cheveux d'or, à qui appartenaient le cheval aux quatre pieds d'or et l'Oiseau d'or. Bien plus, il se faisait fort d'amener aussi le châ-
255 teau d'or de la Princesse.

– Dites-lui de venir me parler, tout de suite, répondit le Roi.

Et quand il fut en sa présence :

– Vous m'avez amené, Edern, le Cheval aux quatre pieds d'or, puis l'Oiseau d'or, et je vous en suis reconnaissant ; mais,
260 pour dernière épreuve, il fut, à présent, que vous m'ameniez aussi la Princesse aux cheveux d'or, avec son château d'or. Si vous le faites, je vous récompenserai bien ; je vous donnerai la main de la princesse ma fille.

– Comment pouvez-vous, sire, me demander une chose si
265 impossible ?

---

1. Maladie très douloureuse et liée à l'âge.
2. Femme de chambre.
3. Mépris.

— Ta! ta! je sais ce dont vous êtes capable ; vous m'avez amené le cheval aux quatre pieds d'or et l'Oiseau d'or de la Princesse, et vous m'amènerez aussi la Princesse elle-même, avec son château, autrement il n'y a que la mort pour vous. Je

270 sais d'ailleurs que vous vous êtes vanté de pouvoir le faire. Allez donc, et revenez vite, car je suis impatient de voir la Princesse.

Edern retourne auprès de sa mule blanche, pour lui faire part de l'ordre du Roi.

275 — C'est la dernière épreuve, mais aussi la plus difficile, lui dit la mule, et si nous y réussissons, on nous laissera enfin tranquilles. Cette fois, il nous faudra avoir avec nous le cheval aux quatre pieds d'or, pour traîner le château de la Princesse, qui est sur des roulettes, et aussi l'Oiseau d'or, pour divertir la

280 Princesse, qui est inconsolable d'avoir perdu l'un et l'autre, et qui ne fera pas de difficulté de nous suivre, pour échapper à la tyrannie des géants qui la tiennent captive. Dès que la Princesse sentira son château s'ébranler[1], elle mettra la tête à la fenêtre, pour en savoir la cause. Aussitôt tu feras en sorte de lui jeter au

285 cou ce chapelet[2] bénit, (et elle lui donna le chapelet) tu lui présenteras aussi son Oiseau d'or, dans sa cage d'or, et elle gardera le silence et n'appellera pas les géants à son secours.

Le Roi confia à Edern le cheval aux quatre pieds d'or avec

---

1. Se mettre en mouvement.
2. Collier constitué de grains de forme différente, servant de guide pour les prières à réciter.

l'Oiseau d'or et ils partirent alors. Ils arrivèrent de nuit sous
290 les murs du château. Edern y attela, au moyen de fortes
chaînes, le cheval aux quatre pieds d'or, qui était d'une force
prodigieuse, lui cria : hue ! et le château se mit en mouvement, sur ses roulettes. La Princesse mit la tête à la fenêtre, et,
au moment où elle allait crier, pour appeler au secours, Edern
295 lui jeta au cou le chapelet bénit, lui présenta son Oiseau d'or,
dans sa cage d'or, et elle en témoigna une grande joie et garda
le silence.

Ils arrivèrent ainsi à la cour, et le vieux Roi fut tellement
ébloui et charmé par la beauté de la Princesse, qu'il voulut
300 l'épouser sur-le-champ.

— Moi prendre pour mari un vieillard de quatre-vingts ans !
s'écria-t-elle ; n'espérez pas cela. Faites-vous rajeunir d'abord, et
nous verrons après.

— Mais, comment me faire rajeunir ? demanda le Roi ; pou-
305 vez-vous opérez ce miracle, belle Princesse ?

— Oui, je le puis ; rien n'est plus facile ; faites faire un grand
feu au milieu de la cour du château ; mettez dessus un grand
bassin de cuivre, rempli d'eau, et quand l'eau sera bouillante,
précipitez-vous dans le bassin, et, au bout d'une heure, je vous
310 en retirerai, jeune, beau et vigoureux comme vous l'étiez à
vingt ans.

Le Roi était si éperdument[1] amoureux de la Princesse, qu'il

---

1. Follement.

dit d'abord être disposé à tenter l'épreuve ; mais, quand l'eau fut bouillante, au moment de s'y jeter, il manqua de courage et
315 recula.

– Vous n'avez donc pas confiance en moi, sire ? lui dit la Princesse ; vous avez tort. Voyez plutôt !

Et, saisissant Edern, elle le précipita dans le bassin, et l'en retira, au bout d'une heure, jeune et beau, comme il ne l'avait
320 jamais été. L'inquiétude et les fatigues de ses épreuves l'avaient vieilli avant l'heure.

Le Roi, en voyant un résultat si merveilleux, n'hésita plus et se jeta lui-même dans le bassin. Mais, la Princesse l'y laissa cuire et ne s'en soucia pas davantage.
325 Elle mit alors sa main dans celle d'Edern, en disant qu'il était juste que celui qui avait eu tout le mal reçût aussi la récompense. Leur mariage fut célébré avec pompe et solennité[1], et il y eut de grands festins et de belles fêtes.

La mule blanche entra aussi dans l'église, au grand étonne-
330 ment de tout le monde, pour assister à la cérémonie religieuse. Mais, quand Edern eut passé l'anneau nuptial[2] au doigt de la Princesse, elle devint une colombe blanche, qui s'envola au ciel, après avoir prononcé ces paroles :

– Je suis l'âme de ta mère, Edern, et je suis venue te conseiller
335 et t'assister, dans tes épreuves, sous la forme d'une mule

---

1. Cérémonieusement.
2. Anneau de mariage.

blanche. Je retourne, à présent, au Paradis, où tu me rejoindras un jour !

Conté en breton par Jean Le Rouzic, matelot,
de Trébeurden (Côtes-d'Armor),
recueilli et traduit par Luzel.

Après-texte

POUR COMPRENDRE

GROUPEMENTS DE TEXTES

INFORMATION/DOCUMENTATION

Lire

1 Quelle est la situation initiale du conte (voir encadré « À savoir » ci-contre)?

2 À quel temps est-elle exposée ?

3 Que manque-t-il au roi et à la reine ?

4 D'où viennent les difficultés, au début du conte, pour la famille royale ? Qui en est responsable ?

5 Quel va être le méfait et quel remède est proposé ?

6 Qu'est-ce qui montre que la malédiction est inévitable ?

7 Pourquoi peut-on dire que le sommeil de la Belle au bois dormant est un sommeil magique ?

8 Quels sont les différentes péripéties du conte ?

9 Pourquoi, d'après vous, la mère du prince veut-elle se débarrasser de ses petits-enfants et de sa bru ?

10 Quelle a été l'erreur du prince ? Comment peut-elle s'expliquer ? En quoi peut-elle justifier son retour prématuré ?

11 Pourquoi peut-on dire que ce conte est en fait constitué de deux contes ?

12 Relevez dans le texte les éléments propres au monde féerique.

13 Relevez les différents indices qui rappellent la durée du sommeil de la Belle au bois dormant.

Écrire

14 Faites le portrait physique de la reine ogresse.

15 Décrivez la forêt que traverse le prince avant d'arriver au château.

Chercher

16 À partir des différents dons des fées, retrouvez l'idéal de la dame de qualité au XVIIᵉ siècle.

17 Recherchez à quoi servait un fuseau et quelles étaient les différentes étapes dans la fabrication du tissu autrefois.

18 Qui faisait partie de la « maison royale » et pour quelle fonction ?

19 À quel conte la substitution des deux enfants et de la Belle au bois dormant par des animaux fait-elle penser ?

POUR COMPRENDRE

À SAVOIR

LA STRUCTURE DU CONTE DE FÉES

Le conte de fées, et le conte populaire en général, présentent une structure caractéristique.

La situation initiale décrit l'état premier des personnages. Elle est très souvent introduite par le traditionnel « Il était une fois » qui transporte l'auditeur ou le lecteur dans un passé imaginaire et mal défini, un avant où tout était possible. Cette situation est stable, comme le souligne l'emploi systématique de l'imparfait. *La Belle au bois dormant* et *Le Petit Poucet* de Perrault commencent respectivement par : « Il était une fois un Roi et une Reine, qui étaient si fâchés de n'avoir point d'enfants... » et « Un Bûcheron et une Bûcheronne qui avaient sept enfants, tous garçons ».

Le déclencheur des aventures ou l'élément perturbateur est introduit par l'expression « un jour » ou « un soir ». Dans *La Belle au bois dormant*, c'est l'arrivée de la vieille fée oubliée : « Mais comme chacun prenait sa place à table, on vit entrer... ». Les verbes sont conjugués au passé simple. C'est une perturbation soudaine et inattendue qui va précipiter le héros dans l'action et le mettre au premier plan. Il va devoir réparer un méfait, ou combler un manque qui déséquilibre la situation de départ. Dans le conte japonais *La Montagne aux chats*, c'est le départ de la chatte, amie et confidente de l'héroïne, qui va déclencher l'aventure.

Les péripéties que vont vivre les personnages constituent la troisième partie du conte. Elles sont plus ou moins nombreuses. Le petit Poucet, par deux fois, parvient à ramener ses frères à la maison, mais la troisième fois, tous s'égarent vraiment et il lui faut affronter l'ogre. Dans *La Montagne aux chats*, l'héroïne, partie à la recherche de sa chatte disparue, va parcourir des kilomètres et subir des épreuves une fois arrivée dans l'île aux chats. Les péripéties de la Belle au bois dormant seront autant d'obstacles rencontrés sur la route de son bonheur.

La situation finale montre un changement sensible, sauf dans certains contes comme *Le Pêcheur et sa Femme*, où le héros retrouve avec satisfaction une situation identique à celle du départ. En revanche, le petit Poucet, après avoir trompé l'ogre et volé ses bottes de sept lieues, ramène ses frères à la maison. Grâce aux fameuses bottes, la misère de la famille n'est plus qu'un mauvais souvenir. L'héroïne de *La Montagne aux chats* repart avec ce qu'il faut pour être à l'abri du besoin et surtout ne plus dépendre d'autrui.

POUR COMPRENDRE

Lire

1 À quel temps les deux premières phrases sont-elles écrites ? Quelle est l'impression produite ?

2 Quelles sont les particularités du personnage de Barbe bleue ? Vous paraissent-elles correspondre à celles d'un héros de conte ?

3 Comment peut-on expliquer la rapidité dans le déroulement de l'action entre le mariage et le retour de Barbe bleue ?

4 Comment la richesse exceptionnelle de Barbe bleue est-elle rendue par l'écriture et le vocabulaire ?

5 Comment l'interdit est-il mis en valeur ? Quelles précisions montrent que la curiosité de la jeune femme est insurmontable ?

6 En quoi peut-on parler de suspens dans ce conte ? Comment est-il entretenu ?

7 Quelle expression révèle le concours de circonstances malheureuses dont est victime la jeune femme ? Montrez que d'autres circonstances hasardeuses vont la sauver.

8 Expliquez la phrase « La Barbe bleue revint de son voyage dès le soir même, et dit qu'il avait reçu des Lettres dans le chemin, qui lui avaient appris que l'affaire pour laquelle il était parti venait d'être terminée à

son avantage. » (p. 26, l. 81-84) en insistant sur le double sens que l'on pourrait donner à certains mots.

9 D'après vous, qui est le héros du conte ? Expliquez votre réponse.

10 Quel est le rôle de la seconde moralité (p. 30) et à qui s'adresse-t-elle ? Vous paraît-elle en accord avec l'extrême dramatisation du conte ?

11 Relevez tous les mots ou expressions qui montrent l'angoisse de la situation que vit la jeune femme dans le passage suivant : « Étant arrivée à la porte du cabinet, [...] tout ce qui s'était passé. » (pp. 25-26, l. 59-88).

Écrire

12 Imaginez ce qui serait arrivé si la jeune femme avait résisté à la curiosité.

13 Écrivez un court récit qui illustrerait le danger de ne pas résister à certains défauts apparemment innocents (gourmandise, curiosité, jalousie, etc.).

Chercher

14 Recherchez le sens de l'adjectif « honnête » (p. 23, l. 21) et comparez-le avec le sens actuel.

15 Recherchez et lisez le conte des frères Grimm, *L'Oiseau d'Ourdi*. Quels sont les points communs et les différences entre les deux contes ?

À SAVOIR

LE HÉROS DANS LE CONTE

Le héros est le personnage central du conte. Le plus souvent, il est seul, mais on peut parfois rencontrer des doubles héros, comme, par exemple, le frère et la sœur, dans *Hänsel et Gretel* des frères Grimm, même si Gretel finit par mener le jeu.

Le héros poursuit une quête. Il part à la recherche de la fiancée, de la personne ou de l'objet disparu, du manque, ou bien il va réparer un méfait. Ainsi, dans *Le Petit Poucet* de Perrault, le plus jeune enfant va sauver ses frères de l'ogre, réparer les méfaits causés par les parents (l'abandon des enfants), et enfin combler un manque, celui de l'argent nécessaire pour vivre. Dans *La Barbe bleue*, l'héroïne a un statut particulier, car c'est plus le hasard qui la transforme en héroïne que ses qualités propres. Elle devient héroïne car elle n'est pas victime.

Le héros mène toujours, ou presque toujours, sa quête à bien et triomphe de toutes les épreuves qui lui sont imposées avec l'aide d'auxiliaires ou d'aides souvent magiques, comme les bottes de sept lieues du *Petit Poucet*, les sept nains de *Blanche-Neige*, la marraine de *Cendrillon* ou la poupée de Vassilissa dans le conte russe *Vassilissa-la-très-belle*. Il est récompensé à la fin du conte et tire tout le bénéfice de sa recherche en se mariant avec la princesse, en devenant roi ou simplement en étant pour toujours à l'abri du besoin.

Le héros, auquel on s'identifie, porte aussi une valeur morale. Son courage, sa ténacité ou son humilité en font un modèle. Ainsi, dans *La Barbe bleue*, l'héroïne va parvenir à vaincre Barbe bleue grâce à la lenteur avec laquelle elle lui obéit et par tous les procédés de retardement qu'elle va trouver. À la fin du conte, le héros est toujours en accord avec lui-même et conscient de sa valeur. Il s'est révélé à lui-même, il a appris à se connaître et c'est là sa plus grande victoire. Le jeune niais des *Trois plumes* et le bon à rien de *Celui qui voulait connaître le tremblement*, deux contes de Grimm, épousent à la fin du conte une princesse et gouvernent parfaitement. L'héroïne de *La Montagne aux chats* fait à la fois preuve de courage et d'humilité et cela lui permettra d'accéder, à la fin du conte, à une véritable liberté et à la reconnaissance des autres. Enfin, l'héroïne de *La Barbe bleue*, devenue riche, assure son destin et celui de sa famille.

Lire

1 Dès le début de ce conte, quels éléments nous ramènent au conte traditionnel ? Connaissez-vous d'autres contes ayant des points communs avec cette introduction ?

2 Comment l'auteur insiste-t-il sur la maigreur de l'héritage laissé par le meunier ?

3 Pourquoi Perrault utilise-t-il des majuscules pour certains noms communs ? Retrouve-t-on ce procédé dans d'autres contes de cet auteur ?

4 Quelles sont les différentes manières de nommer le chat et le meunier ? Que peut-on en déduire ?

5 Pourquoi le chat demande-t-il des bottes et un chapeau ? Que peuvent-ils symboliser ? À quel autre conte peut-on penser quant au pouvoir de ces bottes ?

6 Comment le merveilleux est-il intégré à la vie quotidienne ?

7 En quoi consiste la ruse du chat ? Montrez que, depuis le début du conte, le chat sait ce qu'il veut faire.

8 Dans une première version, Perrault avait écrit « le Chat les avait cachés » à la place de « le drôle les avait cachés » (p. 33, l. 60-61) de la version définitive. Quelle idée sous-tend cette correction ?

9 Montrez que, peu à peu, le meunier s'installe dans le rôle et la situation sociale que lui attribue le chat.

10 Quelle est la dernière ruse du chat ? Connaissez-vous d'autres contes utilisant la même ruse ?

11 Que symbolisent l'ogre et le chat dans ce conte ? Pourquoi ?

12 Qu'est-ce qui, dans le dénouement, appartient vraiment au conte de fées ?

13 Quel est le rôle des deux morales du texte (p. 37) ?

Écrire

14 Les frères du meunier apprennent son mariage. Comment vont-ils réagir ?

Chercher

15 En vous aidant de documents sur les vêtements au XVIIe siècle, imaginez comment le marquis de Carabas pouvait être habillé.

16 Quels étaient les différents attributs de la noblesse sous l'Ancien Régime ? Relevez ensuite ceux qui sont présents dans le texte.

17 Recherchez les différents titres de noblesse qui existent et ce à quoi ils correspondent.

18 Qu'est-ce que la « Garde-robe » (p. 33, l. 62) ?

À SAVOIR

LE SYMBOLE DANS LE CONTE

On « raconte » depuis l'origine des temps ou presque, et les contes ont beaucoup de points communs entre eux, qu'ils datent de l'Antiquité ou qu'ils soient contemporains. Qu'ils viennent du Japon, d'Afrique ou de France, ils présentent tous des constantes, car le conte n'est pas une histoire ordinaire, mais un récit riche de règles de vie élémentaires, d'enseignements donnés non par des explications rationnelles mais à travers des symboles perçus inconsciemment.

Un symbole permet de représenter une idée ou une notion abstraite par un mot concret ou un personnage. Le loup du *Petit Chaperon rouge* symbolise les dangers que peut rencontrer une enfant ou une très jeune fille. D'autres animaux ont ce rôle dans les contes d'autres pays, comme l'ours en Russie ou le crocodile en Afrique.

Les personnages négatifs – sorcière, fausse fiancée, traître – auront la même signification symbolique : montrer que l'on est amené, dans la vie, à lutter et à se défier d'autrui. Parallèlement, les aides et les auxiliaires comme les fées, des animaux rencontrés au hasard de la quête ou même des objets, rappellent que l'on reste rarement seul dans la difficulté, qu'il ne faut pas se décourager et qu'un bienfait n'est jamais perdu. La présence du chat auprès du meunier, dans *Le Chat botté*, est significative ; il le console et lui redonne espoir : « Ne vous affligez point, mon maître », dit-il. De plus, la dimension animiste des contes doit inciter au respect de la nature et des animaux qui nous entourent, rappelant que chacun a sa place dans le monde et que tout est en équilibre.

Ainsi, au-delà de l'histoire, se cache un enseignement sur la façon de vivre, de se comporter, de se protéger et parfois une explication de notre existence. *Le Chat botté* enseigne bien la façon de se comporter en société et comment réussir avec un peu d'audace, même quand la situation est apparemment désespérée.

RIQUET À LA HOUPPE

LE PRINCE DÉSIR ET LA PRINCESSE MIGNONNE

Lire

1 Que pensez-vous de la description de Riquet à la houppe ? À quel type de personnage fait-elle penser ? Trouvez, dans le texte, des éléments le confirmant.

2 On compare parfois *Riquet à la houppe* avec *La Belle et la Bête*. En quoi cette comparaison est-elle possible ?

3 À quel personnage Riquet peut-il être comparé quand on voit ses serviteurs sortir de sous la terre ?

4 Qu'est-ce qui permet à Riquet et à la princesse d'être heureux ? En quoi la fin du conte est-elle explicite ?

5 Dans *Le prince Désir et la princesse Mignonne*, quelle est l'origine de la disgrâce physique du prince Désir ?

6 Pourquoi n'est-il pas malheureux d'avoir un si long nez ? L'attitude des courtisans lui rend-elle service ? Expliquez votre réponse.

7 Quels sont les points communs des héros des deux contes ? Sont-ils nombreux ?

8 Les morales du conte de Perrault (p. 48) sont-elles applicables au conte de Mme Leprince de Beaumont ?

9 Pourquoi peut-on dire que, dans chacun des deux contes, les héros apprennent à s'accepter tels qu'ils sont ?

10 Le titre choisi par Mme Leprince de Beaumont vous paraît-il représentatif de l'histoire ? Justifiez votre réponse.

11 Certains auteurs critiques considèrent *Riquet à la houppe* comme le conte le moins réussi de Perrault. Quel est votre avis ? Justifiez votre point de vue.

Écrire

12 Choisissez une particularité physique et inventez un petit conte moral qui montrerait comment faire de ce défaut une qualité.

13 Faites le portrait des deux héros.

Chercher

14 On a parfois comparé Riquet à la houppe à un diable. Recherchez des expressions qui donneraient un sens positif au mot « diable » et qui pourraient s'appliquer à Riquet.

15 Cherchez quel personnage de bandes dessinées Riquet peut rappeler. Expliquez votre choix.

16 Recherchez les marques d'humour dans ces deux contes.

LA VALEUR MORALE DU CONTE

Les contes enseignent le plus souvent une conduite de vie ; ils permettent de montrer que chacun a sa place et qu'il faut à la fois accepter sa différence et la faire accepter aux autres. Dans *Riquet à la houppe*, Riquet va parvenir à épouser la princesse malgré sa propre laideur et la bêtise de la jeune fille. On peut parler ici d'une acceptation réciproque des défauts de l'autre. La portée morale du conte est donc très importante. Elle montre que l'on est redevable de chaque action et que chacun porte la responsabilité de son existence, de ses réussites et de ses échecs. *Les Fées* de Perrault montrent bien cet enseignement moral. Chacune des jeunes filles se verra attribuer un don en rapport avec son attitude, mais la favorite de la mère ne parvient même pas à faire un effort dont elle connaît pourtant le prix. Désagréable et hautaine, elle va échouer et obtenir un don en conséquence, celui de cracher crapauds et serpents à chaque parole, quand la cadette, aimable, aura celui de fera apparaître perles, diamants et roses. Dans *La Montagne aux chats*, la jeune servante aura une récompense ; quant à sa maîtresse, elle servira de pâture aux chats de la montagne et ne reparaîtra plus. À travers la quête et les épreuves, le héros du conte va apprendre ses limites. Dans *Le prince Désir et la princesse Mignonne*, le jeune prince Désir va devoir apprendre et accepter ce qu'il est vraiment pour trouver enfin le bonheur, mais plus encore à connaître ses possibilités et finir par s'accepter lui-même. Cet aspect apparaît surtout dans les contes dont le héros est un cadet méprisé qui va inévitablement réussir, ou dans ceux dont les héros sont des enfants qui doivent apprendre à se comporter devant ce que la vie réserve, que ce soit la négligence des parents ou la méchanceté et la duplicité de leur entourage. Enfin, le conte permet aussi de montrer que, même avec des défauts et des différences, on peut être heureux en acceptant ses particularités, et plus encore en les faisant accepter.

Lire

1 Quels sont les personnages de ce conte ? Comment pourrait-on les classer (voir encadré « À savoir » ci-contre) ?

2 Comment les particularités de la Belle sont-elles décrites ?

3 Quel événement provoque un changement de situation ? Qu'entraîne-t-il pour toute la famille ?

4 Pourquoi la Belle ne demande-t-elle qu'une rose à son père ? Quelle est la réaction de ses sœurs ?

5 Comment l'arrivée du père au château de la Bête est-elle décrite ? Quelle impression crée-t-elle ?

6 Montrez que s'opposent deux aspects du monde qui correspondent bien au propriétaire des lieux.

7 Quels sont les éléments magiques présents dans le texte ?

8 Montrez comment la méchanceté des deux sœurs ne fait que s'accroître au fil du récit.

9 Quelle sera leur punition ? En quoi est-elle cruelle ? Sera-t-elle longue ? Pourquoi ?

10 D'après vous, cette punition est-elle méritée ? Justifiez votre point de vue.

11 Que symbolise chacun des personnages de ce conte ?

12 En quoi le dénouement appartient-il au monde merveilleux ?

Écrire

13 Faites le portrait de la Bête.

14 Les deux sœurs de la Belle sont transformées en statues pensantes. En tenant compte des paroles de la fée, imaginez ce qu'elles pensent devant le bonheur de la Belle.

Chercher

15 Quel autre conte *La Belle et la Bête* rappelle-t-il ? Pourquoi ?

16 Recherchez de quels contes de Perrault on pourrait rapprocher *La Belle et la Bête*.

17 Recherchez au C.D.I. le conte d'Apulée, *Psyché*. Quels sont les points communs avec *La Belle et la Bête* ?

18 Jean Cocteau a adapté ce conte au cinéma. Comment a-t-il représenté la solitude et la magie du château de la Bête ?

LA FONCTION ET LES ATTRIBUTS DES PERSONNAGES

D'un conte à l'autre, un personnage peut facilement être remplacé par un autre dans une même fonction. Ainsi, la sorcière Baba Yaga des contes russes pourrait être remplacée par un dragon ou par le Diable dans des contes d'autres pays, car tous ont la même fonction : celle de l'adversaire, celui qui cause les méfaits ou les malheurs du héros et place des obstacles tout au long de sa quête. Les attributs des personnages – l'ensemble des qualités qui les individualisent – varieront et donneront au récit ses couleurs et son charme. La sorcière russe Baba Yaga apparaît toujours dans un mortier volant avec un bruit de sifflement, sa jambe est en os, son nez va vers le plafond et sa maisonnette est perchée sur des pattes de poule et tourne toujours sur elle-même. La sorcière des contes occidentaux, quant à elle, a souvent le pouvoir de se transformer en belle femme lorsque ce n'est pas en l'héroïne elle-même. L'ogre du *Petit Poucet* est un géant qui vit au fond d'une forêt ; dans *La Belle au bois dormant*, l'agresseur est la mère du roi ; dans *La Belle et la Bête*, ce sont les sœurs de la Belle. Toutes ces particularités font qu'un conte diffère totalement de l'autre. Mais la fonction de ces personnages reste la même ; ce sont, dans ces exemples, des agresseurs. On peut ainsi classer les personnages : l'agresseur, le donateur (il offre l'objet magique), l'auxiliaire (il aide le héros), la princesse et son père ou le personnage recherché, le mandateur (il envoie le héros en quête), le héros et le faux héros.

LA BELLE AUX CHEVEUX D'OR

LA MULE BLANCHE

Lire

1 Comment le conte *La mule blanche* commence-t-il ?

2 Qui est le héros de ce conte ?

3 Quels sont les auxiliaires qui aident Edern dans *La mule blanche* ? À qui peut-on les comparer dans *La Belle aux Cheveux d'Or* ?

4 Quels obstacles va rencontrer Edern pendant son séjour chez le roi ? En quoi sont-ils comparables à ceux que rencontre Avenant ?

5 En quoi consiste le merveilleux dans les deux contes ?

6 Comment la richesse et la splendeur sont-elles suggérées dans le conte de Mme d'Aulnoy ? En quoi cela peut-il accroître le merveilleux du récit ?

7 Quels dangers doivent affronter les deux héros ? Comment parviennent-ils à les surmonter ?

8 Montrez que, dans les deux contes, les plus grands dangers ne viennent pas des épreuves à traverser. Expliquez votre réponse.

9 Quels enseignements se cachent dans chacun de ces contes ?

Écrire

10 Faites la description précise des géants contre lesquels Edern doit lutter.

11 Lequel des deux contes avez-vous préféré ? Dans un court texte, vous expliquerez votre choix en montrant que le conte choisi est plus réussi que l'autre. Vous donnerez des exemples pour illustrer chacun de vos arguments.

Chercher

12 Le conte breton est un conte populaire, le conte de Mme d'Aulnoy est un conte littéraire destiné à la noblesse, mais leur sujet est semblable. Recherchez dans les deux contes ce qui permet de différencier leur origine.

13 Recherchez d'autres contes qui font intervenir un oiseau d'or.

POUR COMPRENDRE

À SAVOIR

LE MERVEILLEUX

Les contes de fées ou contes merveilleux ont pour caractéristiques essentielles de faire intervenir des événements étonnants, surnaturels ou fantastiques. Le merveilleux est donc très étroitement lié à la magie et au féerique. Chaque conte de fées contient des personnages merveilleux (monstres, sorcières, dragons, fées) ou des objets ayant un pouvoir magique (tapis volant, lampe d'Aladin, épée qui tue le monstre, anneau qui rend invisible ou qui transporte au loin). Mais le merveilleux des contes de fées, c'est aussi l'animal doué de paroles ou de pouvoirs surnaturels : la carpe et le corbeau de *La Belle aux Cheveux d'Or*, la mule de *La mule blanche*, le renard qui aide le prince Ivan dans le conte d'Afanassiev *Le Prince Ivan*, etc. Enfin, le merveilleux se caractérise par la métamorphose et la transformation des objets ou des personnages : le renard qui redevient prince dans *Le Prince Ivan*, la mule de *La mule blanche* qui devient l'âme de la mère du héros... C'est le merveilleux qui transporte le conte dans un univers fantastique et imaginaire, mais les valeurs symboliques qu'il porte permettent aussi de rétablir un lien avec la réalité.

LES CONTES DES MILLE ET UNE NUITS

Lire

1 Dans le *Premier voyage de Sindbad le Marin*, qu'est-ce qui peut rapprocher le récit d'une légende (voir encadré « À savoir » ci-contre) ?

2 Quels éléments merveilleux jalonnent les deux textes ?

3 Comment le caractère véridique de ces deux récits est-il respecté ?

4 Qu'y a-t-il de merveilleux dans les deux contes ?

5 Retrouve-t-on, dans ces deux voyages, la structure qui permet de les identifier au conte merveilleux ?

6 Comment se terminent les deux récits de Sindbad ? Comparez les situations initiales aux situations finales.

7 Comment l'exotisme est-il suggéré dans le *Premier voyage* ?

8 Quelle est la différence de ton entre les deux voyages ? Pourquoi ?

9 Combien d'épreuves doit traverser Sindbad dans le *Troisième voyage de Sindbad le Marin* ?

10 Les récits ont été traduits de l'arabe, le premier au XVIIIᵉ siècle, le second au XIXᵉ siècle. Percevez-vous des différences de langue ?

11 Relevez, page 118, les mots qui annoncent la tournure tragique que prend le troisième voyage.

Écrire

12 À votre tour, imaginez que vous êtes à la merci d'un monstre. Décrivez-le précisément et racontez comment vous parvenez à le vaincre.

13 À la fin du *Troisième voyage*, Sindbad voit des animaux étranges. À votre tour, inventez des êtres imaginaires qui seraient formés d'un assemblage d'êtres réels et décrivez-les brièvement.

Chercher

14 Cherchez les points communs entre le *Troisième voyage de Sindbad le Marin* et l'histoire d'Ulysse et du Cyclope dans l'*Odyssée*.

15 Relevez, à l'aide d'une carte, les parcours de Sindbad dans son premier voyage.

À SAVOIR

CONTE, LÉGENDE ET MYTHE

Conte, légende et mythe dénomment trois genres narratifs proches mais distincts. Dans tous les cas, ils désignent un récit dont l'origine est inconnue et qui s'est transmis d'abord oralement. Mais leur contenu et leurs objectifs diffèrent.

Le conte est un récit fictif qui revendique ce caractère puisque souvent le conteur se présente comme un menteur, mais un menteur qui veut divertir. Il s'agit donc de distraire un auditoire occupé à des tâches fastidieuses et répétitives, ou au contraire oisif pendant les longues soirées, et parfois encore de jouer avec lui. N'est-ce pas le rôle que tient Shéhérazade en racontant chaque nuit une ou plusieurs histoires qui retiennent l'attention du sultan et lui évitent la mort chaque matin ? Le conteur utilisera des formules plus ou moins rimées qu'il répétera ou qui seront répétées par son auditoire ; c'est le « mère-grand, que vous avez de grands yeux » du *Petit Chaperon rouge*, auquel répond le « c'est pour mieux te voir mon enfant » du loup. Le conte met en scène des êtres surnaturels, des animaux qui parlent et des êtres humains.

La légende est le récit, le plus souvent en prose, d'événements tenus pour vrais par celui qui raconte et par celui qui écoute. Elle met en scène des êtres humains, des êtres surnaturels et des divinités ou des saints et, le plus souvent, elle est étroitement liée à un lieu géographique précis, ce qui accroît son caractère véridique et presque vérifiable. Aussi va-t-on trouver des sources, des collines ou des gouffres dont l'origine est expliquée dans une légende, et l'on rencontre souvent des « pierres de la Fée » ou des « gouffres du Diable ».

Le mythe met en scène des divinités et des héros. Il a une dimension religieuse et symbolise les croyances d'une communauté (les grands mythes gréco-romains, comme Œdipe ou le Minotaure, l'histoire de Proserpine ou le mythe de Tantale). Les événements racontés sont considérés comme ayant vraiment eu lieu.

Lire

1 À quoi se fie Marhic pour commencer sa quête ? Quel symbole s'y cache ?

2 Qui est le premier auxiliaire ? Que représente-t-il ?

3 Les trois princesses que Marhic va trouver dans les pommes ont des couleurs différentes ; pourquoi n'est-ce que la troisième qui est la bonne ?

4 Pourquoi est-ce dans une pomme que Marhic va trouver les princesses ?

5 Quel est le premier obstacle que rencontre le héros ? Distinguez dans ce conte la quête et les épreuves.

6 Montrez que la princesse et la fille de la nourrice sont des personnages opposés.

7 Quelles sont les différentes étapes qui permettent la réapparition de la vraie princesse ? Montrez qu'elle passe par tous les éléments naturels.

8 Comment la splendeur du château est-elle évoquée ? Pourquoi, d'après vous, la douzième porte est-elle en or massif ?

Écrire

9 Faites la description de l'extérieur du château merveilleux de la princesse puis décrivez une des pièces en détail.

10 Exercez-vous à dire un passage de ce conte en vous efforçant de le rendre vivant. Vous pouvez ne pas conserver les phrases exactes du texte mais seulement en reprendre l'idée et, gestes à l'appui, essayer de les faire vivre.

Chercher

11 Dans quel autre conte retrouve-t-on ces trois couleurs ? Que peuvent-elles représenter ?

12 Dans quel conte retrouve-t-on trois objets ayant des couleurs semblables à celles des princesses ?

13 Recherchez dans le conte les marques d'un conte oral et populaire.

14 Recherchez tous les mots de la famille de « bannir ».

LA QUÊTE ET LES ÉPREUVES DU HÉROS

Le héros du conte doit toujours partir en quête d'un objet, d'une personne, souvent une fiancée. Ainsi, le héros de *La Princesse aux trois couleurs* part à la recherche d'une épouse, et cette quête présente une succession d'épreuves qu'il doit surmonter. Les épreuves sont souvent au nombre de trois, chiffre symbolique que l'on retrouve fréquemment dans les contes : les trois couleurs de la princesse et les trois pommes à ouvrir dans *La Princesse aux trois couleurs*. Les frères des *Trois plumes* sont trois, le héros du *Diable et ses trois cheveux d'or* doit rapporter trois cheveux d'or et résoudre trois énigmes avant d'obtenir ce qu'il mérite, la fille du roi. Les épreuves sont données par l'adversaire pour chasser le héros ou pour s'en défaire définitivement, par la princesse qu'il recherche ou enfin par un auxiliaire qui ne l'aidera que si elles sont surmontées.

La quête du héros provoque toujours son départ, l'entraîne loin et dure longtemps. Le prince du conte étudié part à l'aventure, il traverse montagnes, forêts et mers avant de revenir chez son père. Les trois frères des *Trois Plumes* doivent accomplir chacune de leurs trois épreuves en une année. C'est donc au bout de trois années qu'ils auront gain de cause. La sœur des *Sept corbeaux* doit, quant à elle, rester sans parler pendant plusieurs années.

Au cours de sa quête, le héros rencontre des auxiliaires mais aussi des personnages qui vont l'empêcher d'avancer et qu'il devra combattre (comme la nourrice du prince qui veut substituer sa fille à la princesse aux trois couleurs), ou bien il devra traverser des pays d'où l'on ne revient jamais. Dans le conte japonais *La Montagne aux chats*, l'héroïne marche très longtemps, traverse mers et montagnes pour enfin se rendre dans une île dont personne n'est jamais revenu. C'est là qu'elle retrouvera son chat.

Au retour de sa quête, le héros a évolué : niais, il est devenu intelligent et sage, pauvre, il est devenu riche et malheureux, ou il a trouvé le bonheur. La quête l'a ainsi révélé aux autres.

Lire

1 Qui est le héros de ce conte ? Le comprend-on tout de suite ? Pourquoi ?

2 Pourquoi le jeune garçon paraît-il stupide au seigneur ? Comment ses réponses s'éclairent-elles par la suite ? Expliquez leur fonctionnement.

3 Pourquoi le seigneur veut-il absolument le jeune garçon ? Pourquoi le jeune garçon refuse-t-il ?

4 Pourquoi le seigneur va-t-il croire le jeune garçon aussi vite ?

5 En quoi consiste la ruse proposée ? Pourquoi est-elle habile ? Montrez qu'elle repose sur le même bon sens que les réponses du début du conte.

6 À la fin du conte, quels sont les différents avantages gagnés par le héros ? Comment est souligné leur caractère exceptionnel ?

7 Quels indices permettent de signaler le caractère démoniaque du premier valet ?

Écrire

8 Le jeune garçon a longtemps observé le premier valet. En vous aidant de ses remarques et de ce que vous savez des attributs du Diable (le rire, la satisfaction, l'orgueil, la méchanceté, le trident, les pieds fourchus, etc.), écrivez une scène qui aurait mis le héros sur la voie.

9 Le Diable revient pour se venger. Imaginez la vengeance et les moyens employés par le garçon pour qu'elle échoue.

10 Imaginez, sous forme d'un dialogue, d'autres réponses énigmatiques à des questions semblables à celles que pose le seigneur, puis donnez les explications de ces réponses.

Chercher

11 Cherchez les différents attributs traditionnels du Diable.

12 Recherchez d'autres contes qui jouent ainsi sur la devinette et une façon de parler sibylline ou énigmatique.

13 Connaissez-vous d'autres contes où le Diable est trompé ?

LE CADET SIMPLET

Le héros du conte de fées est, assez souvent, le plus jeune de la famille. Il paraît très naïf voire sot au début du récit et, par conséquent, il est méprisé par ses frères et sœurs, par ses parents et même par tout son entourage. Le plus jeune frère des *Trois plumes* de Grimm ou de *La Chatte blanche* de Mme d'Aulnoy semble incapable de réussir la moindre entreprise et ses frères ne tiennent pas compte de lui. C'est pourtant celui qui triomphe de toutes les épreuves, trouve ce qu'on lui demande et surpasse indéniablement les autres. Le jeune niais ne le reste pas longtemps et rencontre très vite un auxiliaire qui va le soutenir dans ses différentes épreuves : une grenouille, une chatte blanche, un renard gris... Le conte devient ainsi un récit d'apprentissage qui permet au héros de prendre conscience de ses moyens. Certains voient, dans le mépris dans lequel est tenu le héros, une représentation des années de la petite enfance et de son impuissance par rapport aux parents. Mais lorsque le conte s'achève, le héros a dépassé ses propres parents et devient leur maître. C'est un peu le cas du héros de *L'enfant qui trompa le Diable* ; il devient riche en récompense de ses bienfaits et sauve sa famille de la misère. Les parents, les frères aînés n'ont plus qu'à s'effacer et le père à céder son royaume. Les frères, souvent accusés de forfanterie, sont punis ou s'enfuient.

I) CONTES ET MYTHES

Les contes et les mythes sont souvent très proches. Si le conte a un héros issu du commun des mortels, le mythe met en scène des héros exceptionnels et des divinités. On retrouve les racines des contes dans beaucoup de mythes antiques. Dans *L'Âne d'or*, Apulée raconte l'histoire de Psyché, qui n'est pas sans rapport avec *La Belle et la Bête* et de nombreux autres contes traditionnels où le mari, mystérieux, ne doit pas être découvert par son épouse. On retrouve des motifs communs au mythe d'Ulysse et de Polyphème – celui du géant aveuglé par son adversaire, le plus souvent faible créature humaine mais intelligente – dans le *Troisième voyage de Sindbad le Marin* et dans *La Belle aux Cheveux d'Or*. Enfin, le mythe de Persée et Andromède du héros terrassant le dragon se retrouve dans de nombreux contes populaires. Homère, Apulée et Ovide ont permis de fixer les grands mythes et les contes les ont, à leur manière, prolongés dans l'imaginaire populaire.

Homère (entre 850 et 750 av. J.-C.)

L'Odyssée (traduction de Victor Bérard, Armand Colin, 1982), « Ulysse et Polyphème »

Ulysse, durant son odyssée, aborde une île habitée par des géants cyclopes mangeurs d'hommes. Prisonniers dans une grotte, Ulysse et ses hommes ont assisté au repas monstrueux d'un géant qui, après avoir bu du vin, s'endort profondément.

Il se renverse alors et tombe sur le dos [...]. J'avais saisi le pieu ; je l'avais mis chauffer sous le monceau des cendres ; je parlais à mes gens pour les encourager : si l'un d'eux, pris de peur, m'avait abandonné !...

Quand le pieu d'olivier est au point de flamber, – tout vert qu'il fût encore, on en voyait déjà la terrible lueur, – je le tire du feu ; je l'apporte en courant ; mes gens [...] soulèvent le pieu : dans le coin de son œil, ils en fichent la pointe. Moi, je pèse d'en haut et je le fais tourner [...]. C'est ainsi qu'en son œil, nous tenions et tournions notre pointe de feu, et le sang bouillonnait autour du pieu brûlant : paupière et sourcils n'étaient plus que vapeurs de la prunelle en flammes [...]. Il eut un cri de fauve. La roche retentit. Mais nous, épouvantés, nous étions déjà loin. [...] J'ordonne [...] que sur l'onde amère, au plus tôt on reparte. [...] D'une grosse montagne, il [le cyclope] arrache la cime. Il la lance. Elle tombe au-devant du navire à la proue azurée.

Apulée (125-170 av. J.-C.)

L'Âne d'or (traduction de Pierre Grimal, Gallimard, 1958), « Histoire de Psyché »

Psyché, que tout le monde adorait presque comme une divinité, va provoquer la colère de Vénus qui va envoyer son fils pour la venger. Psyché est emportée dans un palais merveilleux où elle coule des jours heureux avec un époux qu'elle n'a cependant pas le droit de voir, jusqu'au jour où elle reçoit ses deux sœurs qui, jalouses de son bonheur, lui donnent de mauvais conseils.

Contes et mythes

Après une nuit d'insomnie, dès le matin, hors d'elles, elles [les deux sœurs] volent au rocher et, de là, comme d'habitude, grâce au vent, fondent jusqu'en bas ; puis, tirant de force quelques larmes en se pressant les paupières, elles abordent la jeune femme avec ce discours plein de ruse : « Ah ! toi, tu es bien heureuse, l'ignorance même de ton malheur te permet de rester bien tranquille, sans rien soupçonner du danger où tu es, mais nous, qui montons la garde la plus vigilante autour de tout ce qui te touche, nous sommes mises au désespoir par ton infortune. Nous avons appris – la chose est sûre, et nous qui partageons ta douleur et ton malheur, nous ne pouvons te le cacher – que c'est un serpent énorme, un monstre replié en mille nœuds, au cou plein d'un venin sanglant, la gueule béante et profonde, qui vient dormir, pendant la nuit, secrètement près de toi. Rappelle-toi maintenant l'oracle pythique, qui a proclamé que tu étais appelée à épouser un monstre épouvantable. Et beaucoup de paysans et aussi de chasseurs du voisinage, ainsi qu'un grand nombre d'habitants du pays l'ont vu, le soir, rentrer, une fois repu, et nager dans les eaux de la rivière la plus proche. Et chacun affirme qu'il ne t'engraissera plus longtemps à un régime aussi somptueux et aussi attentif, mais dès que ton ventre aura atteint la pleine maturité de sa grossesse et que tu porteras un fruit plus lourd, il te dévorera. C'est à toi désormais qu'il appartient de savoir si tu veux écouter des sœurs qui se tourmentent tendrement pour ton salut, et, échappant à la mort, vivre avec nous, loin du danger, ou si tu préfères être ensevelie dans les entrailles d'une bête implacable [...].

Alors la pauvre petite Psyché, toute simple, et l'âme tendre, est saisie de terreur à ces paroles sinistres ; perdant tout contrôle d'elle-même, elle oublie entièrement tous les avertissements de son mari et toutes ses promesses, et se précipite dans le gouffre du malheur.

Ovide (43-17 ou 18 av. J.-C.)

Les Métamorphoses (traduction de Georges Lafaye, Gallimard, 1992), « Persée et Andromède »

Persée, qui a tué Méduse, découvre Andromède enchaînée à un rocher, condamnée à être dévorée par un monstre marin. Persée propose à ses parents de la sauver à condition de pouvoir l'épouser ensuite.

Les parents [d'Andromède] pressent le héros et lui promettent, outre leur fille, un royaume pour dot. Voilà que [...] le monstre écartant l'eau sous l'effort de son poitrail, approche des rochers, [...] tout à coup, le jeune héros, repoussant la terre du pied, s'élève jusqu'aux nues. À peine le monstre a-t-il aperçu son ombre à la surface de la mer qu'il se jette sur cette ombre avec fureur, [...] se précipitant d'un vol rapide à travers l'espace, le descendant d'Inachus s'abat sur le dos du monstre, et, d'un coup qui le fait tressaillir, il lui plonge son fer dans l'épaule droite jusqu'au crochet recourbé. Atteint d'une cruelle blessure, celui-ci tantôt se dresse dans les airs de toute sa hauteur, tantôt se cache sous les eaux, tantôt tourne sur lui-même, comme un sanglier farouche effrayé par une meute de chiens qui l'enveloppe en hurlant. Persée, grâce à ses ailes, se dérobe promptement aux avides morsures de son ennemi ; partout où il trouve un passage, tantôt sur le dos couvert de coquilles arrondies, tantôt sur les côtes, tantôt à l'endroit où le corps se termine par une queue mince comme celle d'un poisson, il frappe avec son épée armée d'une faucille. La bête rejette par la gueule les flots de la mer mêlés à son sang pourpre, ils arrosent les ailes de Persée, qui en sont trempées et alourdies ; celui-ci n'ose plus se fier à ses talonnières imbibées d'eau ; il a aperçu un écueil dont la pointe se dresse au-dessus des ondes, quand elles sont calmes, mais que la mer recouvre quand elle est agitée. Il le prend pour appui et, tenant de la main gauche l'extrémité de ce rocher, il plonge trois ou quatre fois son fer dans les entrailles du monstre, sans lui laisser aucun répit.

Des applaudissements et des cris retentissent sur le rivage et montent jusqu'aux demeures célestes ; pleins de joie, Cassiopée et Céphé, père d'Andromède, saluent le héros du nom de gendre ; ils le proclament l'appui et le sauveur de leur maison ; délivrée de ses chaînes, s'avance vers eux la jeune fille qui fut la récompense et la cause de cet exploit.

II) LE CONTE AUJOURD'HUI

Le conte est aujourd'hui un genre essentiellement littéraire, qui perdure sous diverses formes. Lieu d'imagination et de merveilleux, il peut devenir inquiétant avec Jacques Sternberg et ses *Contes glacés*, parodique, ou il peut simplement être l'occasion pour un écrivain de laisser aller son imagination à sa fantaisie et de créer ainsi un univers nouveau et bien spécifique comme le fait Roald Dahl. Il peut encore rechercher la magie et le merveilleux dans un monde trop familier, comme chez Pierre Gripari.

Pierre Gripari (1925-1990)

Le gentil petit diable (Folio junior, 1980), « Le petit cochon futé »

Auteur de nombreux contes destinés aux enfants comme *La sorcière de la rue Mouffetard* ou *Contes de la rue Broca*, Pierre Gripari fait apparaître, dans notre univers contemporain et prosaïque, un monde merveilleux et envoûtant, qui transforme un simple robinet en un lieu magique, et Dieu en une famille bien ordinaire. Soudain, dans notre monde moderne et rationnel, la fantaisie et la magie envahissent notre vie. Ici, dans la famille Dieu, le petit Dieu s'amuse à faire le monde.

Au commencement, il créa le ciel et la terre. Mais le ciel était vide, la terre aussi, et tous deux baignaient dans l'obscurité.

Alors le petit Dieu créa les deux lumières : le soleil et la lune. Et il dit à haute voix :

– Que le soleil soit le monsieur, et la lune la dame.

Le soleil fut donc le monsieur, la lune la dame, et ils eurent une petite fille, qu'on appela Aurore.

Ensuite le petit Dieu créa les plantes qui poussent sur la terre, et les algues qui poussent dans la mer. Puis il créa les bêtes qui marchent sur la terre, celles qui rampent, celles qui nagent dans l'eau et celles qui volent dans les airs.

Ensuite il créa l'homme, qui est le plus intelligent des animaux qui marchent sur la terre.

Quand il eut fait tout cela, la terre était remplie. Mais le ciel, à côté, paraissait bien vide. Alors le petit Dieu cria de toutes ses forces :

– Quels sont ceux qui veulent habiter le ciel ?

Tout le monde entendit, à l'exception du petit cochon qui était occupé à manger des glands de chêne.

Jacques Sternberg (né en 1923)

Contes glacés (Labor, Espace nord junior, 1998), « La Création »

Jacques Sternberg a écrit un recueil de contes très courts, qui vont puiser le merveilleux dans une réalité implacable où prime la solitude et l'absurdité de l'homme sur la Terre. Sa vision est assez pessimiste.

Le premier jour, Dieu se créa lui-même. Il fallait bien un commencement à tout.

Puis il créa le vide. Il trouva cela bien grand et en fut impressionné.

Le troisième jour, il imagina les galaxies, les planètes et les soleils. Il n'en fut pas tellement satisfait, sans trop savoir pourquoi.

Le quatrième jour, il fit un peu de jardinage : il décora certaines planètes élues avec un véritable sens de l'art et fut heureux de se prouver qu'il était un dieu de goût, distillant à travers l'univers une subtile perfection.

Le cinquième jour, pour se délasser des efforts de la veille, il décida de s'amuser un peu : il imagina un monde qui n'était qu'une flagrante faute de goût, le bariola de couleurs criardes et le peupla d'une quantité de monstres vraiment répugnants. Plus tard, on appela ce monde la Terre.

Roald Dahl (1916-1990)

La potion magique de Georges Bouillon (traduction de Marie-Raymond Farré, Gallimard, 1982)

Roald Dahl, écrivain anglais contemporain, invente un monde de fantaisie où cohabitent magie et dure réalité. Les héros, le plus souvent des enfants dont la vie est rendue difficile par des adultes cupides et méchants, voient s'ouvrir devant eux tout un univers magique et poétique qui transforme leur existence. Ici, Georges Bouillon, persécuté par une grand-mère méchante et désagréable, invente une potion qui aura sur la vieille dame des effets plutôt surprenants.

Soudain, elle se mit à grandir.

Très lentement au début... quelques millimètres... quelques centimètres... puis de plus en plus vite, quelques décimètres, à la vitesse de trois centimètres à la seconde. Au début, Georges n'y prêta pas attention, mais quand elle eut dépassé un mètre soixante-dix, quand elle eut atteint un mètre quatre-vingts, Georges sursauta en s'écriant :

– Eh, Grandma ! Tu grandis ! Tu grandis ! Attention, Grandma ! Attention au plafond !

Mais Grandma ne s'arrêtait pas.

C'était vraiment un spectacle fantastique de voir cette ancêtre décharnée devenir de plus en plus grande, de plus en plus longue et fine, comme un élastique étiré par des mains invisibles.

Quand sa tête atteignit le plafond, Georges pensa qu'elle serait obligée de s'arrêter.

Mais non ! Il y eut un crissement, et des morceaux de plâtre et de ciment tombèrent par terre.

– Arrête-toi de grandir, Grandma, dit Georges. Papa vient juste de repeindre cette pièce.

Mais elle ne pouvait pas s'arrêter.

Bientôt, sa tête et ses épaules disparurent complètement à travers le plafond. Et elle grandissait toujours.

BIBLIOGRAPHIE

• Les contes de ce recueil

– Charles Perrault, *Contes* (1697), Gallimard, 1981.
– *Le Cabinet des fées*, tome 1, « Contes de Madame d'Aulnoy » et tome 2, « Plus Belle que Fée et autres contes », Picquier poche, 1994-96.
– *Les Mille et Une Nuits*, trad. d'Antoine Galland, Garnier Flammarion, 1965.
– *Les Mille et Une Nuits*, trad. de Joseph Charles Mardrus, Robert Laffont coll. Bouquins, 1980.
– Luzel, *Contes inédits* (1870), Presses universitaires de Rennes, Terre de brume, 1994.

• Recueils de contes français

– Jean-François Bladé, *Les contes populaires de la Gascogne*, Maisonneuve-Larose, 1967.
– Paul Delarue et Achille Millien, *Récits et contes populaires du Nivernais*, Gallimard, 1978.
– Paul Delarue et Marie-Louise Tenèze, *Contes de France*, Hatier, 1980.
– Pierre Gripari, *La sorcière de la rue Mouffetard*, Gallimard, coll. Folio junior, 1980.
– Luzel, *Contes populaires de la Basse-Bretagne* (1887), Maisonneuve-Larose, 1967.
– Marie-Louise Tenèze, *Récits et Contes populaires d'Auvergne*, Gallimard, 1978.

• Recueils de contes étrangers

– Afrique
Amadou Hampâté Bâ, *Contes initiatiques peuls*, Stock, 1994.
Léopold Sédar Senghor et Abdoulaye Sadji, *La Belle Histoire de Leuk-le-Lièvre*, Edicef, 1990.
– Allemagne
Jacob et Wilhelm Grimm, *Contes*, Flammarion, 1967.
– Angleterre
Roald Dahl, *James et la grosse pêche* (traduction de Maxime Orange), Gallimard, 1988.
Roald Dahl, *Le Bon Gros Géant* (traduction de Camille Fabien), Gallimard, 1990.
Roald Dahl, *La potion magique de Georges Bouillon* (traduction de Marie-Raymond Farré), Gallimard, 1982.
– Danemark
Hans Christian Andersen, *Contes* (traduction de Régis Boyer), Gallimard, 1992.

– Italie
Italo Calvino, *Contes populaires italiens* (traduction de Nino Frank), Denoël, 1984.
– Japon
Aux origines du mondes : contes et légendes du Japon (traduction de Maurice Coyaund), Flies France, 2001.
– Maghreb
Hautes sottises de Nasr Eddin Hodja (recueillies et présentées par Jean-Louis-Maunoury), Phébus, 1994.
Charles Nodier, *Les Quatre Talismans*, éditions du Jasmins, 1998.
Contes kabyles recueillis par Leo Frobenius (traduction de Mokran Fetta), Edisud, 1997.
– Norvège
Contes de Norvège (traduits par une équipe franco-norvégienne sous la direction de Johannes Margrethe Patrix), Esprit ouvert, 1999.
– Russie
Afanassiev, *Contes* (traduction de Lise Gruel-Apert), Maisonneuve-Larose, 1992.

• Une collection intéressante pour se familiariser avec des contes de tous les pays
10 Contes..., Castor Poche Flammarion.

• Ouvrages généraux sur le conte
– Jacques Barchilon, *Le conte merveilleux français de 1690 à 1790*, Champion, 1975.
– Joseph Bédier, *Les fabliaux*, Champion, 1964.
– Vladimir Propp, *Morphologie du conte* (1928), Le Seuil, 1970.
– Vladimir Propp, *Les Racines historiques du conte merveilleux*, Gallimard, 1983.
– Michèle Simonsen, *Le Conte populaire*, PUF, Littératures modernes, 1984.
– Tzvetan Todorov, *Introduction à la littérature fantastique*, Le Seuil, 1976.
– Catherine Velay-Vallantin, *L'histoire des contes*, Fayard, 1992.

• Lectures psychanalytiques
– Bruno Bettelheim, *Psychanalyse des contes de fées*, Hachettte littérature, 1976.
– Marie-Louise Franz, *Interprétation d'un conte* L'Âne d'or (1970), La Fontaine de Pierre, 1978.
– Sigmund Freud, *Essais de psychanalyse*, Gallimard, 1971.
– Marc Girard, *Les contes de Grimm, lecture psychanalytique*, Imago, 1990.

• Études littéraires
– Jamel-Eddine Bencheikh, Claude Bremond, André Miquel, *Mille et un contes de la nuit*, Gallimard, 1991.

– Marc Soriano, *Les contes de Perrault : culture savante et traditions populaires*, Gallimard, 1968.
– Une exposition à la Biblothèque Nationale intitulée « Il était une fois... les contes de fées » a fait l'objet d'un catalogue édité au Seuil et d'un Cahier de l'Exposition, Paris, BNF.

• **Bandes dessinées**
– F'Murr, *Au Loup*, Dargaud, 1993.
– Collectif, *Lapin n°10 Spécial Lapins*, L'Association, janvier 1996.

S'INFORMER AU C.D.I.

Revues consacrées au conte :
– T.D.C. (Textes et documents pour la classe) n° 665, décembre 1993.
– N.R.P. (Nouvelle Revue pédagogique) n° 506, septembre 1997.
– T.D.C. (Textes et documents pour la classe) n° 791, mars 2000.

FILMOGRAPHIE

• **Films**
– *La Belle et la Bête*, Jean Cocteau, 1946.
– *Peau-d'Âne*, Jacques Demy, 1970.
– *Le Joueur de flûte de Hamelin* (*The Pied Piper*), Jacques Demy, 1972.
– *Willow*, Ron Howard, 1988.
– *Le Petit Poucet*, Olivier Dahan, 2001.

• **Films d'animation et dessins animés**
– 3 cartoons de Tex Avery d'après Charles Perrault :
Red Hot Riding Hood, 1943.
Swing Shift Cinderella (Les Métamorphoses de Cendrillon), 1945.
Little Rural Riding Hood (Les Deux Chaperons rouges), 1949.
– *Le Roi et l'Oiseau*, Paul Grimault, 1980.
– *Dark crystal*, Jim Henson, 1982.
– *Kirikou et la Sorcière*, Michel Ocelot, 1998.
– *Princes et Princesses*, Michel Ocelot, 2000.

MUSIQUE

– Tchaïchovsky, *La Belle au bois dormant, Le Lac des cygnes, Coppélia*, ballets.
– Bartók, *Le Château de Barbe-Bleue*, opéra.

VISITER
– Spectacles et voyages scolaires autour des contes de Charles Perrault :
Château du Puy
23350 Tercillat (Creuse)
Entre Guéret et La Châtre
20 km de Boussac
Tél. : 05-55-80-50-44
E-mail : info@chateau-du-puy.com
Site : http://perso.wanadoo.fr/chateau-du-puy/

– « Le Château du Chat Botté » :
Château de Crazannes
17350 Crazannes
Tél. : 06-80-65-40-96
Fax : 05-46-91-34-46
Site : http://www.crazannes.com
Classé monument historique, ce château de la fin du XIVᵉ siècle, de style gothique, aurait abrité le « marquis de Carabas ».

CONSULTER INTERNET
• **Sites sur le conte en général et les auteurs du recueil**
http://expositions.bnf.fr/contes
http://newlithium.free.fr/pages/encyclo.html
http://www.chez.com/feeclochette/
http://www.recitoire.org

• **Site sur les Mille et Une Nuits**
http://pages.infinit.net/vdemers/nuits.html

• **Site sur Luzel**
http://www.bretagnenet.com/strobinet/bugelkoar/gwerziou.htm

Dans la collection

Classiques & Contemporains

SÉRIES ANGLAIS

Couverture

Conception graphique : Marie-Astrid Bailly-Maître
Illustration : Natali Fortier

Intérieur

Conception graphique : Marie-Astrid Bailly-Maître
Édition : Célia Michel
Réalisation : Nord Compo, Villeneuve-d'Ascq

© **Éditions Magnard, 2002 – Paris**

www.magnard.fr

Achevé d'imprimer en octobre 2009 par CPI - Aubin Imprimeur
N° d'éditeur : 2009/648 - Dépôt légal juin 2002
Imprimé en France